Saladin Schmitt

Hebbels Dramatechnik

Schriften der
literarhistorischen Gesellschaft Bonn
Herausgegeben von Berthold Litzmann
Band 1

Saladin Schmitt

Hebbels Dramatechnik

Gerstenberg Verlag
Hildesheim
1978

Reprographischer Druck der Ausgabe Dortmund 1906
Mit Genehmigung der Verlagsbuchhandlung Fr. Wilh. Ruhfus, Dortmund
Herstellung: Druckerei Strauss & Cramer GmbH, 6945 Hirschberg II
Best.-Nr. 238 00703 (Gesamtausgabe) · ISBN 3-8067-0703-0 (Gesamtausgabe)
Best.-Nr. 238 00704 (Band 1) · ISBN 3-8067-0704-9 (Band 1)

HEBBELS DRAMATECHNIK

VON

SALADIN SCHMITT

1906

FR. WILH. RUHFUS, DORTMUND

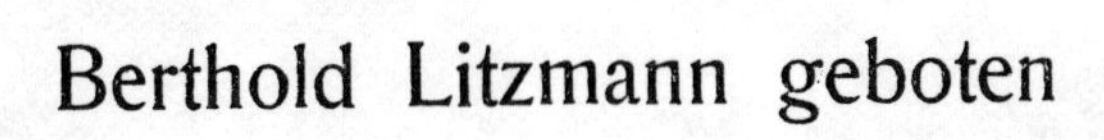
Berthold Litzmann geboten

Benutzte Ausgabe:

Friedrich Hebbel. Sämtliche Werke. Historisch kritische Ausgabe besorgt von Richard Maria Werner. Berlin, 1901 ff.
I. Abteilung: Werke.
II. Abteilung: Tagebücher.
III. Abteilung: Briefe.

Verglichene Literatur:

Hebbels Werke. Kritisch durchgesehene und erläuterte Ausgabe v. K. Zeiss. Leipzig u. Wien, Bibliograph. Institut; 4 Bde. Einleitungen.

Hebbels Werke. Her. v. H. Krumm. Leipzig, Hesse; 4 Bde. Einleitungen und Bemerkungen.

Emil Kuh, Biographie Friedrich Hebbels, 2 Bde. Wien 1877.

A. Bartels, Hebbel. Reclam.

O. Ernst, Buch der Hoffnung. Hamburg 1896.

H. Krumm, F. Hebbel. 3 Studien. Flensburg 1899.

R. M. Werner, Fr. Hebbel als Dramatiker, Bühne u. Welt I 10.

Th. Poppe, Hebbel und sein Drama, Berlin 1900.

Arno Scheunert, Der Pantragimus als System der Weltanschauung u. Ästhetik Friedrich Hebbels. (Band 8 der Beiträge zur Ästhetik, herausgegeben von Theodor Lipps und R. M. Werner).

Gustav Freytag, Technik des Dramas. 9. Aufl. Leipzig 1901.

Heinrich Bulthaupt, Dramaturgie des Schauspiels. 8. Aufl. Oldenburg und Leipzig 1902.

Otto Ludwig, Shakespeare-Studien. (Ges. Schriften von E. Schmidt und Ad. Stern).

Hugo Dinger, Dramaturgie als Wissenschaft. 2 Bde.

E. A. Georgy, Die Tragödie Friedrich Hebbels nach ihrem Ideengehalt. Leipzig 1905.

A. v. Berger, Dramaturgische Vorträge. Wien 1890.

Avonianus, Dramatische Handwerkslehre. Berlin 1896.

INHALT

Einleitung

I. Teil

II. Teil

Aufführungen Hebbel'scher Dramen im Berliner Königlichen Schauspielhaus lenkten zum erstenmal meinen Blick auf deren tragisches Dämonentum und bezwingend tiefen Ideengehalt. Nach inniger Beschäftigung mit den Werken des Dichters bestimmten Übungen über die Technik des modernen Dramas unter Berthold Litzmanns Leitung die Richtung und den Charakter dieser Arbeit. Ausser der hier empfangenen reichen Anregung, wurde mir solche eigentlich nur noch durch Otto Ludwigs dramatische Studien geboten. Dagegen liegen die Ziele aller zur Hebbel-Literatur gehörigen Arbeiten in letztem Betracht denen meiner Untersuchung fern.

EINLEITUNG

Die Begriffe Stoff, Form und Technik beim Drama

Zwei Phasen -- zeitlich und nach Art der Tätigkeit verschieden — lassen sich im Werdegang eines Kunstwerks sondern, eine primäre, die für den Künstler die latente Conception künstlerisch keimender Elemente einschliesst, und eine sekundäre, die für ihn die gestaltende Reife dieser fruchtbaren Urstoffe bedeutet. In beiden Vorgängen liegt formende Betätigung. Form ist nichts anderes als Ausdruck der Persönlichkeit. Ein den Künstler anregender Gedankengang erhält — unter der Voraussetzung, dass er künstlerisch anregend wirkt — dadurch, .dass er ihn durchläuft, Form. So erfasst der Dichter schon künstlerische Keimelemente mit durchaus individueller Prägung; sie erhalten einfach durch die Tatsache, dass ein so oder so gearteter Künstler sie aufnimmt, persönlichen Stempel. — Selten werden wir nun diese erste, concipierende Betätigung 'eines Dichters in unmittelbaren Zeugnissen verfolgen können. Briefe und Tagebücher mögen hier mitunter Fingerzeige geben; meist aber wird das Ergebnis jenes Primärprocesses nur dem Künstler selbst bekannt. Anders steht es mit dem sekundären Vorgang. Er steht unter dem Zeichen reichen Gestaltens und hinterlässt uns abschliessend das reife Kunstwerk als Frucht. Will man an

dramatischen Gebilden das Ergebnis dieses sekundären Werdeprozesses, die reife Form, in Einzelzüge auflösen, so ist es unerlässlich aufgegeben, vorerst einen antiquirten Begriff der Form auszuschalten. Gemeinhin wird unter dem Stoff eines Dramas die sogenannte Fabel verstanden, die Handlung rein anekdotisch dargestellt, ohne dialogisch-szenische Ausgestaltung. Letztere bezeichnet man dann als Form. So unterschieden sind Stoff und Form begrifflich nicht scharf umrissen; jeder der beiden Begriffe ist zu weit und zu eng gefasst; jeder dehnt seinen Umfang auf das Gebiet des anderen aus. Denn ohne Zweifel ist, was man gemeinhin Fabel nennt, nicht der eigentliche Rohstoff des schaffenden Künstlers. Sie wurde ja erst in anekdotischer Fassung aus der szenischen Gliederung herausgelöst. Man glaubt also aus der reifen dialogischen Form den Stoff einfach dadurch wiederherstellen zu können, dass man sie in Erzählung auflöst? Das Äusserliche dieser Scheidung liegt klar zu Tage. Nein, die Fabel eines Dramas ist nicht sein Stoff; schon rein anekdotisch herausgeschält lässt sich daran die gestaltende, charakteristisch formende Hand des Dichters wahrnehmen. Eine formale Untersuchung darf nie und nimmer die Fabel als Stoff voraussetzen. Denkt man daran, wie charakteristisch verschieden schon rein hinsichtlich der anekdotischen Handlung Otto Ludwig und Hebbel in ihren Bernauer-Dramen denselben historischen Vorwurf gestaltet haben, so rechtfertigt sich diese Forderung. — Andererseits nun kann die szenische Fassung eines Dramas noch stoffliche Elemente enthalten. Dies wird überall da der Fall sein, wo ein Dramatiker überkommene, an Vorgängern beobachtete Darstellungsmittel ohne innere Notwendigkeit, ohne dass seine Handlung aus sich sie bedingt, anwendet, denn „Regeln und Grundsätze sind für den Künstler nur Stoff, ...“ (Hebbel in seinem Tagebuch unter dem 20. 2. 39). Eine erlernte Darstellung, die nicht organisch aus der Handlung erwächst, trägt demnach den Charakter ungeformten Stoffes. — Gegenüber der alten Definition von

Form und Stoff, wonach letzterer die Fabel, erstere deren dialogisch-szenische Ausgestaltung ist, behauptet sich, nachdem der wahre Charakter dieses Verhältnisses klargelegt worden ist, die eingangs gegebene: Form ist Ausdruck der Persönlichkeit; Stoff im Drama ist das Unpersönliche, Form das Individuelle, Persönliche. „Stoff ist Aufgabe, Form ist Lösung.“ (Hebbel, Tagebuch vom 6. Dezember 38.)

Die Technik des Dramas nun hat es nur mit der Form zu tun; sie mustert die Mittel der Form. Was das nach der obigen Definition der Form heisst, bleibt nicht zweifelhaft. Technische Analyse der Dramatik eines Dichters ist nichts anderes als Betrachtung der ihm eigenen Mittel poetischen Schaffens; Dramen technisch zergliedern heisst sie in Einzelzügen als charakteristische Äusserungen einer künstlerischen Persönlichkeit beleuchten.

Die gegebenen Begriffe der dramatischen Form und Technik schliessen eine allgemein gültige Theorie der dramatischen Darstellungsmittel aus. Es giebt wohl eine Shakespeare'sche, eine Schiller'sche, eine Kleist'sche Dramatechnik, aber keine technische Dogmatik. Wie Form und Technik das individuelle Element des Kunstwerks sind, so können sie auch nur, wenn sie als Eigenarten einzelner Dichterpersönlichkeiten betrachtet werden, den Gegenstand fruchtbarer Untersuchung bilden. In diesem Sinne erörtert aber erschliessen sie die geheimen Tiefen poetischen Schaffens und bieten eine sichere künstlerische Charakteristik des Dichters. Form und Technik ist es, was bei einem Kunstwerk recht eigentlich Gegenstand einer Betrachtung sein kann.

ERSTER TEIL

Hebbels Dramenbegriff und Dramentypus

Die spezifische Eigenart der dramatischen Werke Hebbels erklärt sich aus seinem Dramenbegriff. In der ästhetischen Abhandlung „Mein Wort über das Drama“ charakterisiert er diese höchste Kunstform, wie folgt: „Nur dadurch, dass es (das Drama) uns veranschaulicht, wie das Individuum im Kampf zwischen seinem persönlichen und dem allgemeinen Weltwillen, der die Tat, den Ausdruck der Freiheit, immer durch die Begebenheit, den Ausdruck der Notwendigkeit, modifiziert und umgestaltet, seine Form und seinen Schwerpunkt gewinnt und dass es uns so die Natur alles menschlichen Handelns klar macht, das beständig, so wie es ein inneres Motiv zu manifestieren sucht, zugleich ein widerstrebendes, auf Herstellung des Gleichgewichts berechnetes äusseres entbindet — nur dadurch wird das Drama lebendig.“ — Der dramatische Charakter soll sich demnach im Kampf zwischen seinem persönlichen und dem Weltwillen entwickeln. Letzterer misst die Tat, den Ausdruck der Freiheit, an der Begebenheit, dem Ausdruck der Notwendigkeit und kennzeichnet sie dadurch als Schuld; denn so heisst es in derselben Abhandlung: „Die dramatische Schuld entspringt nicht erst aus der Richtung des menschlichen Willens, sondern aus dem Willen selbst“, dessen Äusserung die Tat ist, und einige Zeilen vorher: „Das Leben als Vereinzelung,“ das ist das Individuum, „erzeugt die Schuld nicht blos zufällig, sondern schliesst sie notwendig ein und bedingt sie.“

— Hebbels Tragödien sind also im letzten Sinne Charaktertragödien, denn bei ihm beruht die Schuld auf dem persönlichen Willen, der durch seine blosse Existenz einen Widerspruch gegen den allgemeinen Weltwillen bedeutet und einen Kampf mit ihm einschliesst; sie sind auch in gewissem Sinne Schicksalstragödien; nur dass bei ihm das Schicksal der menschlichen Brust entsteigt und sich nicht an eine rostige Waffe knüpft. Das blosse individuelle Sein der Hebbel'schen Gestalten ist ihr Schicksal; sie können gemäss ihrer Natur nicht anders sein als sie sind, sie müssen sich bei ihren Anlagen über die Grenzen der Allgemeinheit hinwegsetzen, sie müssen notwendig schuldig werden; ihre Schuld wird schon mit ihnen geboren, sie sind eher Sünden als Sünder. — Eine solche Auffassung bedingt die Konzentration der dichterisch-künstlerischen Arbeit auf einen bestimmten Punkt: Wie erwähnt sieht Hebbel die Aufgabe des Dramas darin, zu zeigen, wie das Individuum im Kampf mit dem Weltwillen seine Form und seinen Schwerpunkt gewinnt. Aus dieser Forderung lässt sich nun im Umriss die Form des Hebbel'schen Dramas erklären. Denn wenn verlangt wird, die Tragödie solle veranschaulichen, wie der einzelne Mensch im Konflikt zwischen dem eigenen und dem allgemeinen Willen Form und Schwerpunkt erlangt, so wird damit auch gleichzeitig gefordert, die Handlung einer Charakterdarstellung dienen zu lassen. Für Hebbel ist also die Handlung im Drama in erster Linie Mittel, die Charaktere zu entfalten; sie bietet den willkommenen Anlass, die Charaktere in eine solche Lage zu versetzen, in der sie sich, wie sie einmal veranlagt sind, in ihrer ganzen Tiefe enthüllen müssen, kurz zusammengefasst: die Handlung ist die Gelegenheit, die Charaktere psychologisch zu analysieren. — Freilich muss diese Charakterdarstellung wieder unter einem gewissen Gesichtspunkt in's Auge gefasst werden; lediglich als solche ist sie nicht letztes Ziel des Dichters (was sie im Gegensatz dazu bei Kleist ist). Vielmehr erhält sie im

Dienste einer Idee eine allgemeinere Bedeutung. Wie drückt sich diese aus? Folgendermassen: Das Vergehen des grossen Einzelmenschen, das durch dessen Sein bedingt ist, wird als eine Störung der sittlichen Weltordnung betrachtet. Nur sein töllicher Fall kann die verletzte kosmische Harmonie wieder herstellen. Welches Verhältnis des Weltganzen das Individuum durch sein Dasein im einzelnen Falle stört, hängt natürlich von dem speziellen Vorwurf der Tragödie ab. — In solchem Zusammenhang wird der dramatische Charakter auf die Idee bezogen. Doch ist zu beachten, dass die Idee nicht künstlich in das Drama hineingetragen werden darf, sie entspringt ungezwungen dem überschauenden Geist des Dichters, der die harmonischen Verhältnisse des Kosmos als eine Einheit begreift und jede vereinzelte Störung darauf bezieht. „Die Ideen im Drama sind dasselbe wie der Kontrapunkt in der Musik; nichts an sich, aber Grundbedingung für alles" (Hebbel, Tagebuch vom 1. April 59). Unter diesem Hauptgesichtspunkte — Charakterdarstellung, an der sich eine Idee der sittlichen Weltordnung offenbart, — erfasst sich allererst das Wesen der Hebbel'schen Dramatik. Vergleicht man Selbstäusserungen des Dichters über seine Dramen, so wird deutlich, dass ihm die Tatsachen nichts, die Idee und die Charaktere dagegen alles bedeuten und durchaus die Handlung bestimmen. Beispielsweise heisst es im Vorwort zur „Judith": „Das Faktum, dass ein verschlagenes Weib vor Zeiten einem Helden den Kopf abschlug, liess mich gleichgültig, ja es empörte mich in der Art, wie die Bibel es zum Teil erzählt. Aber ich wollte, inbezug auf den zwischen den Geschlechtern anhängigen grossen Prozess den Unterschied zwischen dem echten, ursprünglichen Handeln und dem blossen Sich-Selbst-Herausfordern in einem Bilde zeichnen, und jene alte Fabel — — — bot sich mir als Anlehnungspunkt dar. Auch reizte mich im Holofernes die Darstellung einer jener ungeheuerlichen Individualitäten — —." — Oder man vergleiche das Vorwort zur „Maria Magdalena": „Nur wo ein

Hebbels historische Tragödie, allgemein charakterisiert

Zwei Gebieten entnimmt der Dichter die Vorwürfe seiner Tragödien, der Geschichte und dem Leben der Gegenwart. Berücksichtigt man, dass erst die kosmische Idee der Handlung ihre tiefste und eigentlichste Bedeutung gibt, so wird klar, dass zwischen beiden Gebieten in dieser letzten Beziehung nicht scharf geschieden werden kann und darf. Vergangenes und gegenwärtiges Leben bieten gleichmässig Gelegenheit, das Individuum in einer Empörung gegen die heiligen Ideen der Menschheit oder meist deren Ausartung zu zeigen, die den Frevler vernichtet und zugleich die angegriffenen Institutionen durch den Kampf verjüngt und stärkt.

In welcher Hinsicht kann nun bei Hebbel von einem historischen Drama die Rede sein? Nur insofern „als die Kunst für die höchste Geschichtsschreibung gelten darf, indem sie die grossartigsten und bedeutendsten Lebensprozesse gar nicht darstellen kann, ohne die entscheidenden historischen Krisen, welche sie hervorrufen und bedingen, die Auflockerung oder die allmähliche Verdichtung der religiösen und politischen Formen der Welt, als der Hauptleiter und Träger aller Bildung, mit einem Wort: die Atmosphäre der Zeiten zugleich mit zur Anschauung zu bringen.“ (Mein Wort über das Drama.) So bietet das Drama den „allgemeinen — — Gehalt der Geschichte in der Schale der speziellen Perioden“ (Vorwort zur Maria Magdalena). Etwas genauer ausgeführt finden sich diese Gedankengänge in einer Tagebuchäusserung vom 24. Dezember 46: „Wie jede Krystallisation von gewissen physikalischen Bedingungen abhängt, so jede Individualisierung des menschlichen Wesens von der Beschaffenheit der Geschichtsepoche, in die es fällt. Diese Modifikationen der Menschennatur in ihrer relativen Notwendigkeit zur Anschauung zu bringen, ist die Hauptaufgabe, die die Poesie der Geschichte gegenüber hat, und hier kann sie, wenn die reine Darstellung gelingt, ein Höchstes leisten." Wir sehen, wie Hebbel durchaus das Individuum in den Mittelpunkt des Interesses rückt; von ihm aus gesehen erhält erst die Geschichte ihre Bedeutung. Inwieweit es ihr beizumessen ist, dass ein Einzelwesen von imponierender Grösse erstehen konnte, inwieweit dies Individuum Kind seiner Zeit ist, d. h. inwieweit die Zeit es notwendig erzeugen musste: darauf muss das Hauptgewicht gelegt werden, wenn man Hebbels Dramatik auf ihren historischen Gehalt prüft. Nur insoweit darf sich die Geschichte im Drama geltend machen, als sie ähnlich wie die Nation die dargestellten Personen in ihren Begriffen und Handlungen charakteristisch färbt. — Wie diese Heraushebung des Individuums dann wiederum dadurch gemässigt wird, dass es mit seinem persönlichen Geschick zugleich eine kosmische Mission erfüllt, wurde schon erwähnt. — Zeit und Nation sind Elternpaar des grossen Individuums, das durch sein persönliches Schicksal zugleich in höherem Betracht zu einem Weltganzen in Beziehung tritt; auf historischer und nationaler Grundlage erwachsen grosse Einzelschicksale, die dann in ihrer Stellung zum All eine erhöhte, symbolische Geltung erlangen: Das wäre die allgemeine Formel für Hebbels historische Tragödie.

Noch einmal muss an das Wort erinnert werden, dass die „bedeutenden Lebensprozesse nicht ohne die entscheidenden historischen Krisen, welche sie hervorrufen und bedingen", darzustellen sind. Historische ‚Krisen': in dieser Benennung charakterisieren sich gleich die Zeitepochen, die die grossen, tragischen Gestalten hervorbringen. Es sind die Zeiten des Übergangs: das hereinbrechende Neue kämpft mit der starren Tradition, alte Völker sterben ab und junge rücken an ihre Stelle, kulturelle Fortschritte setzen sich in erbittertem Ringen mit konservativen Mächten durch, ein neuer Glaube entreisst die Seelen einem morsch und schwach gewordenen Bekenntnis. In allen diesen erbitterten Kämpfen kann das grosse Individuum Vertreter des Neuen oder des Alten sein; immer aber schreitet es in der Art, wie es seinen Standpunkt vertritt und in den Grenzen, die es ihm absteckt, weit über das Mass des Erlaubten hinaus.

Spezielle Modifikationen dieser allgemeinen Skizze stellen alle historischen Tragödien Hebbels dar.

Historische Grundlage und kosmische Mission als Ursprung und Vollendung des dramatischen Charakters

Allgemeine Charakteristik

In historischem Boden wurzelt eine psychologische Tragödie von persönlichstem Reiz, und doch ist das Schicksal des Individuums nur die „Silhouette Gottes"; der allgemeine Weltwille bildet sich darin wie ein Schattenriss ab: so liessen sich die Handlungen der Hebbel'schen Tragödien allgemein charakterisieren. Zu irgend einer Zeit verschieben sich irgendwo durch irgendwen die Verhältnisse des Universums derart, dass eine Reaktion unausbleiblich wird — eine Reaktion, die ihrerseits auch wieder einseitig ausarten kann, vielleicht ausarten muss, um das entgegengesetzte Extrem zum Einklang der Welten zu reduzieren.

Beispiel der „Judith"

Um darzutun, wie Hebbels Gestalten einerseits in den ‚Krisen' der Geschichte wurzeln, und wie sich andererseits ihre Tragik in den Beziehungen des Kosmos vertieft, greife ich das Beispiel der ‚Judith' heraus: Der Kampf des gottbeschirmten Israelitenvolkes mit einem heidnischen Stamm bietet für die Tragödie den fruchtbaren historischen Boden. Ihm entspriesst in ungestüm wuchernder Kraft Holofernes, jener Gigant, der in ungezügeltem Drang nach Macht und Genuss seinen Weg geht. Kein Gegner kann ihm erstehen; die Schwäche der Welt scheint seine rohe Stärke zu rechtfertigen.

Holofernes und die Zeitlage

Holofernes und Kosmos

Hier ist der Punkt, wo der Charakter in allgemeinen kosmischen Zusammenhang gesetzt wird: das harmonische Verhältnis des Weltganzen ist durch ihn verschoben; die Grenzen zwischen Schuld und Sühne, Recht und Unrecht sind durch ihn verwischt; alle sittlichen Begriffe scheint er wanken zu machen. Seine Existenz ist eine Sünde an der Norm des Menschen.

Judith und die Zeitlage

Doch dieselbe Zeit der Kämpfe und Völkerbewegungen, deren Sohn Holofernes ist, gebiert auch seinen ebenbürtigen Gegner, Judith, die heldenhafte Hebräerin. Einsam unter den ihren, wie Holofernes unter den seinen, ist sie die einzige, die es wagt, dem heidnischen Feinde Trotz zu bieten. Sie verschafft sich Eingang in das Lager der Gegner und richtet Holofernes. Das Weltall, das durch die gigantische Kraft des Eroberers in seiner Harmonie gestört worden war, scheint versöhnt.

Judith und Kosmos

Aber der Frevel an der sittlichen Übereinkunft ist nur scheinbar, nicht wirklich ausgeglichen. Denn nun wird vor demselben Richterstuhl des kosmischen Einklangs, der Holofernes verurteilt, die heroische Israelitin geprüft, und auch sie verlässt gebrandmarkt die Schranken. Wie der Feldherr in seinen zügellosen Eroberungs- und Raubzügen, so hat auch sie in ihrer Tat alle Grenzen der Natur überschritten; und diese, ob der schrankenlosen Emancipation eines Weibes verletzt, rächt sich an ihr. Zwar konnte sie Holofernes erschlagen, und die durch ihn gestörte Weltordnung wiederherstellen, aber indem sie das tat, brachte sie selbst die kosmische Harmonie in Verwirrung, und die dafür geübte Vergeltung kostet ihr wahrscheinlich selbst das Leben.

So lässt Hebbel die Persönlichkeit der Zeitlage entspringen und mit ihrem Geschick eine weltbedeutende Mission erfüllen. Tragisches Geschick, Schuld und Versöhnung gibt es nur inbezug auf die Idee. — „— — die tragische Kunst, die, indem sie das individuelle Leben der Idee gegenüber vernichtet, sich zugleich darüber erhebt, ist der leuchtende Blitz des menschlichen Bewusstseins, der aber freilich nichts erhellen kann, was er nicht zugleich verzehrte“ (Tagebuch vom 12. Juli 43). „Die Versöhnung im Tragischen geschieht im Interesse der Gesamtheit, nicht in dem des Einzelnen, und es ist gar nicht nötig, obgleich besser, dass er sich selbst ihrer bewusst wird. Das Leben ist der grosse Strom, die Individualitäten sind Tropfen, die tragischen aber Eisstücke, die wieder zerschmolzen werden müssen und sich, damit dies möglich sei, aneinander abreissen und zerstossen.“ (Tagebuch vom 6. März 43).

Weitere Beispiele

Jene historische Grundlage, die in Hebbels erstem Drama, durch den Krieg der Israeliten und Heiden gegeben wird, bietet sich der „Genoveva“ wie den „Nibelungen“ als Übergangszeit der germanisch-heidnischen Kultur zur christlichen, der „Mariamne“ etwa als die bewegte Kampfperiode eines Usurpators mit dem rechtmässigen Herrschergeschlecht, deren Verwirrnisse noch durch die Reibereien eines unterjochten Volkes mit den römischen Machthabern erhöht werden. In diesen grossen Werdezeiten, diesen historischen ‚Krisen‘ wurzelt sowohl die gebenedeite Heilige, (die wie Christus einst die Gottheit neu entsühnt), als auch der starkmilde Dietrich, (neben Hagen als Antipode der eigentliche Träger der Idee in Hebbels Nibelungentragödie) als auch endlich die grosse Maccabäerin, (das edle Opfer für das Selbstbestimmungsrecht des Weibes).

Die bürgerliche Tragödie

Dass die bürgerliche Tragödie für Hebbel in letztem (kosmischem) Betracht nichts von der historischen Tragödie spezifisch Verschiedenes darstellt, wurde schon zu Eingang des vorletzten Kapitels betont. So gut im Sinne des Genoveva-Vorworts die historischen Tragödien des Dichters „künstlerische Opfer der Zeit" genannt werden, so gut liessen sich seine bürgerlichen Trauerspiele in gewissem Sinne als ‚historische' kennzeichnen, denn Geschichte wie Gegenwart haben nur den gleichen Zweck, das grosse Individuum (das die Sünde an der Idee notwendig einschliesst) zu gebären, seiner „partiellen Verletzung des sittlichen Gesetzes" zu Gunsten der kosmischen Harmonie den Hintergrund zu bieten. Strenge verwahrt sich Hebbel gegen jene flache, landläufige Meinung vom bürgerlichen Trauerspiel, die damals die Zeit beherrschte: „Das bürgerliche Trauerspiel ist in Deutschland in Misskredit geraten, und hauptsächlich durch zwei Übelstände. Vornehmlich dadurch, dass man es nicht aus seinen inneren, ihm allein eigenen, Elementen, aus der schroffen Geschlossenheit, womit die aller Dialektik unfähigen Individuen sich in dem beschränktesten Kreis gegenüberstehen und aus der hieraus entspringenden schrecklichen Gebundenheit des Lebens in der Einseitigkeit aufgebaut, sondern es aus allerlei Äusserlichkeiten, z. B. aus dem Mangel an Geld bei Überfluss an Hunger, vor allem aber aus dem Zusammenstossen des dritten Standes mit dem zweiten und ersten in Liebesaffären, zusammengeflickt hat. Daraus geht nun unleugbar viel Trauriges, aber nichts Tragisches hervor, denn das Tragische muss als ein von vornherein mit Notwendigkeit Bedingtes, als ein, wie der Tod, mit dem Leben selbst Gesetztes und gar nicht zu Umgehendes, auftreten." (Vorwort zur „Maria Magdalena"). „Die nähere Entwicklung ihres Begriffes von der sozialen Tragödie hat mich ausserordentlich interessiert — — — Dennoch kann ich meinen ästhetischen Standpunkt nicht aufgeben — — — das ist eben die mit dem Menschen selbst gesetzte, nicht etwa erst durch einen krummen Geschichtsverlauf hervorgerufene allgemeine Misère, welche die Frage nach Schuld und Versöhnung so wenig zulässt, wie der Tod, das zweite, allgemeine, blind treffende Übel, und deshalb so wenig, wie dieser, zur Tragödie führt." (Brief an S. Engländer, London, 27. Jan. 1863). — Wir sehen, eine „Idee" verlangt Hebbel auch für das bürgerliche Trauerspiel: wie sich im Bereiche des öffentlichen Lebens die Zustände so zuspitzen können, dass eine Reaktion gegen sie unausbleiblich ist, (eine Reaktion, die aber eine Verjüngerung für sie in sich schliesst), so können die Traditionen des Bürgertums auch so in sich erstarren, dass sie durch die Verletzung eines Individuums einmal auf ihren wahren Gehalt geprüft werden müssen. Maria Magdalena tut in ihrer Sphäre nichts anderes, als was Judith in der ihren tut; sie überschreitet den ihr als Weib gesteckten Kreis so gut wie die heldenhafte Hebräerin ihn überschreitet und büsst dafür gleich ihrer Vorläuferin mit dem Tod. Freilich ist der Horizont der beiden Dramen ein ganz verschiedener und Hebbel empfand das auch sehr wohl: „— wenn in der heroischen Tragödie die Schwere des Stoffs, das Gewicht der sich unmittelbar daran knüpfenden Reflexionen eher bis auf einen gewissen Grad für die Mängel der tragischen Form entschädigt, so hängt im bürgerlichen Trauerspiel alles davon ab, ob der Ring der tragischen Form geschlossen, d. h. ob der Punkt erreicht wurde, wo uns einesteils nicht mehr die kümmerliche Teilnahme an dem Einzelgeschick einer von dem Dichter willkürlich aufgegriffenen Person zugemutet, sondern dieses in ein allgemein menschliches . . . aufgelöst wird, und wo uns andernteils neben dem . . . . Resultat des Kampfes zugleich auch die Notwendigkeit, es gerade auf diesem und keinem anderen Wege zu erreichen, entgegentritt." (Vorwort zur „Maria Magdalena"). Die „aller Dialektik unfähigen" Personen des bürgerlichen Dramas stehen sich am Schluss nicht mit jener freien Einsicht gegenüber wie Vater und Sohn am Schluss der „Agnes Bernauer" (wo die dramatische Dialektik „unmittelbar in die Idee selbst" gelegt wird), das bürgerliche Drama muss als Ganzes seine Idee verkünden. Gerade darum muss es aber auch wie kein anderes als Ganzes geschlossen sein. Der Mangel einer eigentlichen Debatte der Idee ist das einzige, was das bürgerliche Drama von dem historischen unterscheidet; in der Behandlung selbst ist es so wenig naturalistisch wie dieses. „Das poetische Drama kann gar nicht existieren, ohne mit dieser Welt zu brechen und eine andere dafür aufzubauen, ganz gleichgültig, ob es sich in einer Bürgerstube oder einem Königssaal abspinnt." (Tagebuch vom 9. März 63) und „Es gibt Gegenstände, die im ganzen durchaus poetisch sind, im einzelnen aber so nah an das Gebiet der Prosa streifen, dass sie das Pomphafte, was dem Vers anklebt, nicht vertragen, in alltäglicher Prosa aber freilich auch nicht aufgehen und darum einen Mittelvers verlangen, welchen aus beiden Elementen zu bilden dann eben die Hauptaufgabe des Dichters ist. Dahin gehört z. B. jeder Stoff einer bürgerlichen Tragödie." (Tagebuch vom 18. September 47).

Die Comödie

Wie Hebbels Theorie der Tragödie sich aus seinem Begriff des Tragischen erklärt, so entspringt seine eigentümliche Anschauung vom Lustspiel seiner Auffassung des Komischen. Hier wie dort legt er das Hauptgewicht auf das kosmische Moment. „Der wahre und tiefe Humor spielt so mit der Unzulänglichkeit der höchsten menschlichen Dinge, wie der falsche mit der einzelner, herausgerissener Individuen" (Tagebuch vom 31. Mai 44). Wie der tragische Charakter nicht um seiner selbst willen da ist, sondern um eine ewige Idee, die sich in seinem Los widerspiegelt, zu entfalten, so erhält auch der Komische seine letzte Berechtigung erst durch seine Beziehung zum Kosmos. Aus dieser Theorie Hebbels folgt notwendig, dass Komödie und Tragödie in ihrem letzten (kosmischen) Betracht nichts verschiedenes sind: „Komödie und Tragödie sind ja doch im Grunde nur zwei verschiedene Formen für die gleiche Idee" (Tagebuch vom 29. November 41). Was nun aber der Komödie noch spezifisch eigentümlich aufgegeben ist, geht aus einer Bemerkung des Dichters über den „Diamant" hervor: „Ich glaube darin die schwere und der Komödie allein würdige Aufgabe, dass für die dargestellten Personen alles bitterster Ernst ist, was sich für den Zuschauer, der von aussen in die künstliche Welt hinein blickt, in Schein auflöst, . . . erfüllt zu haben" (Tagebuch vom 5. Januar 43). In demselben Sinne spricht sich eine kurze, prägnante Tagebuchnotiz vom 1. März 61 aus: „Jede echte komische Figur muss dem Buckligten gleichen, der in sich selbst verliebt ist." Die Befangenheit im eigenen Ich, die als Wurzel des tragischen Charakters ihren Träger in tragische Verwicklung bringt, verstrickt als Wurzel des komischen Charakters ihren Träger in komische Verwicklung. Wie Agnes Bernauer und Herzog Albrecht um ihrer Liebe willen mit der ewigen Form des Rechtes in Konflikt geraten, so sind die Gestalten im „Diamant" jederzeit bereit sie um ihrer persönlichen Habgier willen auf's Spiel zu setzen, und auch in diesen verschrobenen Charakteren offenbart sich ihre zeitlose Geltung:

„Ich soll die höchste Harmonie"
„In den verzerrtesten Gestalten"
„Die Gottesschrift im Wurm entfalten!"

so begreift der Dichter im Prolog des Lustspiels seine Aufgabe.

Was sich für die Behandlung des Komischen besonderes ergibt, wurzelt in dem Umstand, dass der Dichter hier seine Handlung leichtherziger schürzen kann als in der Tragödie: „Gerade beim Komischen ist eine unregelmässige gewissermassen verwirrte Behandlung die beste. Denn, da es nur als ganzes Bedeutung hat, im einzelnen aber immer nur Nichtiges und Gemeines bringt, so würde durch eine gemessene Behandlung ein unangenehmer Kontrast entstehen" (Tagebuch vom 1. Mai 38). Die Komödie „fordert keinen Glauben für ihren Stoff, sie rechnet sogar mit Bestimmtheit darauf, keinen zu finden. Aber es gibt eine Grenze. Der Poet versetze sich durch einen Sprung, wohin er will, nur höre er zu springen auf, sobald er in seiner verrückten Welt angelangt ist, denn nur dies unterscheidet ihn vom Fieberkranken und Wahnsinnigen. Der phantastische Mittelpunkt in seiner Komödie sei, was die fixe Idee in einem bis auf diese gesunden Kopf ist, die die Welt nicht aufhebt, sondern sich mit ihr in Einklang zu setzen sucht. So leiht Aristophanes den Vögeln menschliche Eigenschaften, aber im übrigen bleiben sie Vögel" (Tagebuch vom 11. März 47).

Die dramatische Umsetzung der historischen Voraussetzungen und seelischen Probleme in 2 Parallelhandlungen — Die äussere Handlung — Die innere Handlung — Das Verhältnis der beiden Handlungen im fertigen Kunstwerk

Die Parallelhandlungen

Es ist nun die weitere Frage, wie der Dichter historische Voraussetzungen, seelische Probleme und philosophische Ideen im vollendeten Drama verwertet und szenisch ausgestaltet. Sie gliedern sich dort zunächst in 2 Parallelhandlungen, eine äussere, politische, die den Umschwung der Zeiten in einer gewaltigen Bewegung erfasst, und eine innere, psychologische, die das Seelenproblem entfaltet. Greifen wir zunächst einmal diese beiden Punkte heraus und überlassen die Ausarbeitung und Darstellung der Idee späterer Erörterung. In der „Judith“ etwa bringt die äussere Handlung den Kampf der Juden und Heiden zum Austrag, die innere zeichnet den „Unterschied zwischen dem echten, ursprünglichen Handeln und dem blossen Sich-Selbst-Herausfordern in einem Bilde“. Hier sind psychologische und politische Handlung äusserlich (nicht in der Idee, wie später nachzuweisen ist!) eng verbunden: der Erfolg seiner Feldzüge bedingt ebenso die gebietende Stellung des Holofernes, wie die Notlage der Hebräer Judiths Auftreten. Die steigernden Momente sind hier für äussere und innere Handlung die gleichen: sobald erstere eine entscheidende Wendung erfährt, wird auch letztere gefördert. Mit dem ersten Szenenmittelpunkt z. B., Judiths Gang zu Holofernes (Ende

Verbindung derselben, die gleichen steigernden Momente

des dritten Aktes), wird die politische Verwicklung einen Schritt vorwärts gebracht und der seelischen Tragödie gleichzeitig die wichtige Möglichkeit gegeben, ihre Träger gegenüber zu stellen. Ebenso bedeutet das zweite Szenenzentrum, die Enthauptung des furchtbaren Eroberers, einerseits für die äussere Handlung die befreiende Lösung, andererseits für den psychologischen Konflikt Judiths Schuld.

Auch in „Herodes und Mariamne" sind politische und psychologische Handlung so innig verknüpft wie in der „Judith". Der politische Mord an Aristobolus bedingt das aufkeimende Misstrauen des Herodes, das auf sein Verhältnis zu Mariamne den ersten Schatten wirft; aus den politischen Verhältnissen ergibt sich weiterhin die zweimalige Abwesenheit des Königs, ohne die der Seelenkonflikt unmöglich wäre. Also auch hier bedingen die Fortschritte und Steigerungen der einen Handlung solche der andern: sobald für den politischen Konflikt eine neue Verwicklung auftaucht, ergibt sich auch eine für die psychologische Handlung.

Die äussere Handlung im Dienste der innern

Deutlicher wie in Hebbels Erstling zeigt sich in der „Mariamne", welche Stellung der Dichter der inneren und äusseren Handlung im fertigen Kunstwerk zuweist: Gegenüber dem psychologischen Konflikt, tritt der politische — sofern er rein politischer Natur ist — zurück. Dafür wird er in anderem Betracht bedeutsam: er tritt in den Dienst der psychologischen Verwicklung. Er bietet Momente, die der seelischen Handlung Gelegenheit verschaffen, sich zu entfalten; die äussere Handlung wird zur Kette, an der sich die psychologische vorwärts schiebt.

Um das Verhältnis der beiden Handlungen im abgeschlossenen Kunstwerk richtig zu bewerten, greife man etwa aus „Herodes und Mariamne" die zweite Szene des vierten Aktes heraus. Sameas, der freigelassene Pharisäer und die Königin-Mutter Alexandra, die Häupter der reaktionären Partei in Judäa, ergehen sich dort in Anklagen gegen Herodes, denen

Mariamne, sein Weib, entgegentritt. Inhaltlich bietet die Szene kein Wort für das Seelenproblem, das zwischen dem König und der Maccabäerin zum Austrag kommt, und doch ist sie dafür von treibender Bedeutung: sie soll Gelegenheit zu der wichtigen Zusammenkunft Mariamnes mit Herodes' Statthalter Soemus bieten. — Man sieht, das politische Motiv entfaltet sich gelegentlich breit und gibt inhaltlich der Szene Gehalt, und doch kann es dabei, ohne dass man es auf den ersten Blick bemerkt, der psychologischen Handlung zu einem entscheidenden Fortschritt dienen.

Die künstliche Verkettung der äusseren und inneren Handlung

Weitere Aufschlüsse über das Verhältnis der beiden Parallelhandlungen bietet die letzte Hälfte der dritten Szene des vierten Aktes. Rein äusserlich bedeutet der Auftritt einen Vorstoss der reaktionären Partei: Alexandra sucht Soemus vergeblich für ihre Pläne zu gewinnen. Für die innere Handlung bietet die Szene dagegen die wichtige Rechtfertigung von Soemus' Verhalten und die Abgrenzung seiner Stellung zu Herodes. — Wieder ist also hier die politische Handlung dazu benutzt, um seelische Verhältnisse klar zu legen. Doch ist das nicht eigentlich das neue, was uns die Szene bieten soll. Dies besteht vielmehr in der künstlichen Verkettung der äusseren und inneren Handlung. Wir haben gesehen: Ein Moment der politischen Verwicklung trägt den Auftritt, stellt seinen eigentlichen Inhalt dar. Auch Soemus spielt hier äusserlich nur in der politischen Handlung eine Rolle (er weist Alexandras Ansinnen ab), aber die Art, in der er sie durchführt, gibt uns seine innerliche Rechtfertigung. — Und nun fragen wir: Wie gelingt es dem Dichter dies doppelte Ergebnis zu zeitigen? — Er stellt etwas Gemeinsames zwischen den an sich unverbundenen Handlungsmomenten her; er ist darauf bedacht, in Alexandras Werben um Soemus ein Element einströmen zu lassen, das, wie es dieser Gelegenheit verschafft ihre Pläne zu entfalten, auch jenem Anlass bietet, mit seiner Ablehnung zugleich sein intimstes Wesen und die Rechtfertigung seines Schrittes zu zeigen. In der eigentümlichen Art, wie Alexandra Soemus für ihre Pläne zu bestimmen sucht, hat der Dichter dies günstige Element gefunden. Er lässt die alte Intriguantin ihr Werben mit einem Appell an die Persönlichkeit des Statthalters begründen (Du bist doch auch ein Mann!) diesen aber, indem er sich gegen ihr Ansinnen verwahrt, zugleich ihre Pläne zurückweisen und ihr falsches Bild seiner Persönlichkeit durch das richtige ersetzen:

„So gross ist keiner, dass er mich als Werkzeug“
„Gebrauchen darf! Wer Dienste von mir fordert“
„Die mich — — dem sichern Untergange weih’n, — dem muss“
„Ich zeigen, dass es zwischen Königen“
„Und Sklaven eine Mittelstufe gibt“
„Und dass der Mann auf dieser steht.“

Durch dies gemeinsame, das der Spieler und Gegenspieler jeder in seinem Sinne auffasst und beleuchtet, wird eine ungezwungene Verbindung der beiden Handlungen in wirksam pointierender Szenenführung möglich.

Sowohl äussere als auch innere Handlung kann zeitlich primärer, wie sekundärer Faktor sein

Wie ein Reagieren auf die Momente der äusseren Handlung gibt sich in der „Judith“ und in „Herodes und Mariamne“ die innere Verwicklung, wenn man festhält, dass unter reagieren hier kein unselbständiges„ Abhängigkeitsverhältnis verstanden wird, sondern nur der Unterschied des Primären und Sekundären. Ein Beispiel für das umgekehrte Verhältnis, wo die psychologische Handlung als primärer Faktor mit der politischen Handlung in einem bedingenden Causalnexus steht, der letztere als das sekundäre Moment, als Wirkung kennzeichnet, bietet sich in der „Agnes Bernauer.“ Hier verursacht Herzog Albrechts unverbrüchliche Treue der schönen Baderstochter gegenüber und ihre todesmutige Liebe zu ihm, zuerst die mahnende Botschaft Preisings, dann den Gewaltstreich Ernsts auf dem Turnier zu Regensburg, den Überfall Agnes’, ihre Gefangennahme und Hinrichtung, endlich den offenen Bürgerkrieg des Sohnes gegen den Vater. — So ist hier in den psychologischen Verhältnissen die Grundlage gegeben, auf der sich die politische Handlung aufbaut.

Die dramatische Umsetzung der Idee

Wo haben wir die Idee dramatisch umgesetzt zu suchen?

Dass die Idee des Dramas nichts an sich sei, wohl aber Grundbedingung für alles, wurde einleitend schon erwähnt. Erwähnt wurde auch schon, dass sie nicht in das Drama künstlich hineingetragen werden darf, sondern dem allumfassenden Blick des Dichters entspringt, der die Einzelerscheinung im Zusammenhang des Kosmos erblickt. „Nur Narren wollen die Metaphysik im Drama verbannen. Allein es ist ein grosser Unterschied, ob sich die Metaphysik aus dem Leben, oder ob umgekehrt sich das Leben aus der Metaphysik entwickeln soll.“ So notiert Hebbel im Tagebuch vom 7. Oktober 42. Und am 4. Dezember 43 bekennt er, dass er es gewohnt sei „die Erscheinungen und Gestalten, die er erschaffe, immer auf die Ideen, die sie repräsentieren, überhaupt auf das Ganze und Tiefe des Lebens und der Welt zurückzubeziehen.“ — — „Das Hauptvergnügen des Dichters besteht für mich darin, einen Charakter bis zu seinem, im Anfang von mir selbst durchaus nicht zu berechnenden Höhepunkt zu führen und von da aus die Welt zu überschauen.“ In diesen Worten ist uns ein Fingerzeig dafür geboten, wie sich im fertigen Drama die Idee dialogisch-szenisch umsetzt. An jenen Stellen müssen wir sie suchen, wo der dramatische Charakter die Fäden, die ihn mit dem All verknüpfen, fühlt und begreift.

a) innerer Anhaltspunkt

Im antiken Drama ersparte der Chor dem Zuschauer diese Mühe: „— — im allgemeinen sehe ich jetzt deutlicher ein wie früher, dass die Tragödie am Chor ein wesentliches Element verloren hat, denn um eben nur eines zu berühren, wie kahl ist der Schluss unserer Stücke . . . und welch eine schwere Arbeit wird dem Geist, der endlich ausruhen möchte, noch ganz zuletzt in dem Reproduzieren der nicht plastisch hervortretenden Idee zugemutet, während bei den Alten der Chor, als der breite Stamm des Geschlechtes, an dem das Schicksal einzelne, zu geile Auswüchse abschnitt, unmittelbar alles das vergegenwärtigt und versinnlicht, was wir erst auf dem Wege der Reflexion gewinnen müssen." (Tagebuch vom 28. Juni 44). —

b) äusserer Anhaltspunkt

Hatten uns die erst angeführten Notizen einen innern Anhaltspunkt für die Stellen geboten, wo sich die Idee dramatisch umsetzt, so lässt sich aus der vorliegenden ein äusserer Fingerzeig entnehmen. Wir hören, dass Hebbel den Chor vor allem um des harmonischen Abschlusses der Tragödie willen vermisst und dass dieser Chor im antiken Drama nichts anderes war als der Träger der Idee. Wird der Dichter nach solcher Einsicht nicht vor allem danach streben, dem Schluss des Dramas durch Ausgestaltung der Idee eine abgeschlossene Wirkung zu sichern und dürfen wir nach dieser Erkenntnis nicht vorzüglich die letzten Akte der Hebbel'schen Tragödien hinsichtlich der dramatisch umgesetzten Idee prüfen? Sicherlich! — Und auf was haben wir dabei zu achten? „Das neue Drama, wenn ein solches zu Stande kommt, wird sich vom Shakespeare'schen, über das durchaus hinausgegangen werden muss, dadurch unterscheiden, dass die dramatische Dialektik nicht bloss in die Charaktere, sondern unmittelbar in die Idee selbst hineingelegt, dass also nicht bloss das Verhältnis des Menschen zu der Idee, sondern die Berechtigung der Idee selbst debattiert werden wird," notiert das Tagebuch vom 16. November 43. Was das heisst, sieht sich ohne Schwierigkeit ein: Wie das antike Drama, wo der Chor Träger der Idee war, nicht die dem modernen Dichter gemässe Form ist, so auch nicht das

Verlegung der dramatischen Dialektik in die Idee

Shakespeare'sche, das lediglich Charakterdrama ist, ohne dass es die kosmische Bedingung des Einzelnen ausdrücklich nachweist. Der moderne Dichter dagegen muss die dramatische Dialektik „nicht bloss in die Charaktere, sondern in die Idee selbst hineinlegen", muss die Berechtigung der Idee selbst zur Debatte stellen. — In dieser Formulierung liegt für oberflächliche Betrachtung die Gefahr, sie dahin auszulegen, Hebbel wolle die wichtige Mission des antiken Chors als Träger der Idee im modernen Drama einem Chorus zuschieben. Zum Glück warnt uns der Dichter selbst vor solcher Auffassung: „Im Drama soll kein Gedanke ausgesprochen werden, denn an dem Gedanken des Dramas sprechen alle Personen" (Tagebuch vom 24. Dezember 51). Alle Charaktere sind demgemäss die Träger der Idee des Dramas.

Die dramatische Dialektik muss „unmittelbar in die Idee selbst hineingelegt werden." — Welche Forderung darin für die künstlerische Arbeit liegt, ergibt sich aus dem Gegensatz: „nicht bloss in die Charaktere" (wie bei Shakespeare). Die dramatische Dialektik darf, um zur Diskussion der Idee zu werden, nicht lediglich das Resultat individueller Beschränkung sein (so bietet sie höchstens das persönliche Verhältnis des Mensehen zu der Idee), sondern muss die Charaktere in Momenten erfassen, wo sie sich selbst in Beziehung zu dem Universum fühlen und sehen. Nichts anderes ist demgemäss die Debatte der Idee in der dramatischen Dialektik als die Erweiterung des individuellen Falles zu einem allgemeinen. Die Individuen erörtern ihr Geschick in seinem Bezug auf die kosmischen Urfragen; sie sehen sich selbst als Typen, das Einzel-Geschick wächst zum Schicksal aus. Man nehme etwa im dritten Akt von „Herodes und Mariamne" die letzte Hälfte der zweiten und die dritte Szene. Von dem empörten edlen Ausdruck ihres persönlichen Schmerzes abschweifend erweitert sich Mariamnes Gesichtskreis zu grosser, allgemeiner Betrachtung des Frevels an ihr, in der sie sich selbst als Typus von zeitloser Geltung hinstellt:

Die technischen Ausdrucksmittel der Idee: a) Die Erweiterung des individuellen Falls zum allgemeinen

„Du hast in mir die Menschheit geschändet,"
„Meinen Schmerz muss jeder teilen,"
„Der Mensch ist, wie ich selbst, er braucht mir nicht"
„Verwandt, er braucht nicht Weib zu sein wie ich."
„— — — ein Leben"
„Hat jedermann, und keiner will das Leben"
„Sich nehmen lassen, als von Gott allein,"
„Der es gegeben hat! Solch ein Frevel"
„Verdammt das ganze menschliche Geschlecht"
„Verdammt das Schicksal, das ihn zwar beginnen,"
„Doch nicht gelingen liess — —!"

Hier erhält die Gestalt Mariamnes als das in seinem Selbstbestimmungsrecht tötlich verletzte Weib allgemeine, kosmisch-ideale Bedeutung; sie spricht nicht mehr für sich, sie spricht für ihr Geschlecht; sie leidet nicht für sich, sie leidet für das sittliche Verhältnis zwischen Mann und Weib, das durch Herodes' Frevel an ihr unnatürlich verzerrt worden war.

Einfach in der Erweiterung des individuellen Geschickes zum allgemeinen hat demgemäss der Dichter ein Mittel gefunden, die Idee dramatisch auszugestalten. Nicht das einzige; ein anderes lehren uns die „Nibelungen" kennen. Hier hat Hebbel an einer Stelle, wo er die Idee szenisch herausarbeiten will, eigens eine Gestalt erschaffen, die deren Debatte anregt.

b) die bildliche Herausarbeitung der Idee

Jener unheimliche Pilger ist gemeint, der bei Etzels Gastmahl die Tafel umwandelt und Hagen Tronjes spöttisches Erstaunen erregt. Mit fast anschaulicher Eindringlichkeit tritt uns dadurch der grosse Ideengehalt der Trilogie entgegen: Ein bettelnder Pilger, das Urbild freiwilliger Entsagung und lebensverachtender Kasteiung, Hagen Tronje, der Typus finsteren Trotzes und herrischen Menschentums und zwischen beiden Dietrich von Bern, stark und fromm, selbstbeherrscht und germanisch-mannhaft, der Held der kommenden Zeit.

c) Die Entfaltung der Idee an einem Symbol

Eine andere Technik, die Idee herauszuarbeiten, lässt sich in „Gyges und sein Ring“ beobachten. Hier hat Hebbel in dem Ring ein bequemes symbolisches Hilfsmittel gefunden, die Idee zu entfalten, (ebenso wie in den beiden Lustspielen „Der Diamant“ und „Der Rubin“). Man nehme die grosse Szene des fünften Aktes zwischen Kandaules und Gyges. Von ihrem persönlichen Geschick gehen sie aus, und als würden allmählich alle Tiefen der Welt vor ihnen entschleiert, so erheben sie sich über den engen Kreis ihres individuellen Lebens zu Schicksalstypen von ewiger Geltung. „O dieser Ring!“ — Noch durchaus die Klage über sein und seines Freundes persönliches Geschick hat Gyges diesen Ausruf entlockt. Doch Kandaules nimmt den Gedanken auf und vertieft ihn bis zur allgemeinen, kosmischen Bedeutung:

„Du meinst, er wäre besser“
„In seiner Gruft geblieben! Das ist wahr! “
„Rhodopens Ahnung hat sie nicht betrogen“
„Und dich dein Schauder nicht umsonst gewarnt.“
„Denn nicht zum Spiel und nicht zu eitlen Possen“
„Ist er geschmiedet worden, und es hängt“
„Vielleicht an ihm das ganze Weltgeschick.“

So versinnbildlicht der Ring das Streben über Sitte und Gesetz hinaus, über das an sich Wertlose, das nichts ist, aber viel gilt. Nur die Allerstärksten und Allerreichsten sind berufen ihn zu tragen, nur diejenigen, denen mit dem neuen Geist, den sie in sich spüren, auch die neue Form aufgegangen ist, in der er sich äussern soll. — Zweierlei lässt sich also hier für die dramatische Umsetzung der Idee beobachten, einmal die schon öfters herausgeschälte Erweiterung des allgemeinen Falles zum typischen, dann die Verwendung eines Symbols. —

Unmittelbarer Connex mit dem Universum ist das Charakteristische für Hebbels Gestalten, insofern sie die Träger

wickelt. Wieder bietet uns das Tagebuch einen Fingerzeig dafür. Unter dem 25. November 43 notiert es: „Was Styl in der Kunst ist, das begreifen die Leute am wenigsten. So in der Tragödie, dass die Idee im ersten Akt als zuckendes Licht, im zweiten als Stern, der mit Nebeln kämpft, im dritten als dämmernder Mond, im vierten als strahlende Sonne, die keiner mehr verleugnen kann, und im fünften als verzehrender und zerstörender Komet hervortreten muss — das werden sie nie fassen. Sentenzen werden ihnen immer besser zum Verständnis helfen." — Prüfen wir zur Illustration dieser Forderung ein Hebbel'sches Drama auf seinen ‚Styl', etwa die „Agnes Bernauer." Die Idee dieses Dramas spiegelt das Individuum in seiner Stellung zum Staat wieder, der Einzelmensch geht an der Auflehnung gegen die geheiligte Form des Zusammenlebens aller Menschen zu Grunde. „Im sittlichen Staat ist der Empörungsversuch immer zugleich ein Selbstmordversuch, denn da das Individuum nur durch den Staat existiert, so würde es sich in ihm vernichten." So lautet eine Tagebuchbemerkung vom 28. Mai 1851, und in einem Briefe an Uechtritz (datiert 14. Dez. 51) heisst es: „Ich glaube, dass es Momente gibt, wo das positive Recht zurücktreten muss, weil das Fundament erschüttert ist, auf dem es selbst beruht — — —. Dann aber ist ebensowenig wie beim Krieg von einem Mord, sondern von einem Opfer die Rede, und die Ausgleichung der individuellen Verletzung muss, wie bei jenem, in das religiöse Moment, in die höhere Lebenssphäre, der wir alle mit schüchterner Hoffnung oder mit zuversichtlichem Vertrauen entgegensehen, gesetzt werden."

Beispiel der „Agnes Bernauer"

Ob der Staat an sich gut oder schlecht, ein Recht oder ein Unrecht ist, entscheidet nicht, als „Übereinkunft der Völker" ist er jedoch eine Notwendigkeit, die Grundlage aller Rechtspflege und sozialen Wohlfahrt; wer ihn nicht ehrt, der versündigt sich am Kosmos. — Wie drückt sich nun diese Idee im vollendeten Drama aus? In den ersten Akten zunächst noch ganz spärlich; als ‚zuckendes Licht' und als

‚Stern der mit Nebeln kämpft‘ spielt sie durch die abmahnenden Stimmen der Ritter ob der unerhörten Werbung Herzog Albrechts. Dabei leuchtet sie schon deutlicher im zweiten Akt wie im ersten: man vergleiche hier etwa einmal die Erzählung Törrings von Kaiser Wenzel und seiner Bademagd Susanne (II 6), die bereits ganz intensiv auf die vernichtende Gewalt des Staates hinweist. — Analog dem Fortschritt der Handlung entfaltet sich dann immer durchsichtiger die Idee: mit Preisings Sendung im dritten Akt wird die dramatische Dialektik schon unmittelbar in die Idee verlegt:

Albrecht.

„Ich bin ein Mensch, ich soll dem Weibe, mit dem ich vor den Altar trete, so gut, wie ein Andrer, Liebe und Treue zuschwören, darum muss ich's so gut wie ein Andrer selbst wählen dürfen!“

Preising.

„Ihr seid ein Fürst, Ihr sollt über Millionen herrschen, die für Euch heute ihren Schweiss vergiessen, morgen ihr Blut verspritzen und übermorgen ihr Leben aushauchen müssen, wollt Ihr das alles ganz umsonst? So hat Gott die Welt nicht eingerichtet, dann wäre sie nimmer rund geworden — —!“

Niemand kann hier den ‚dämmernden Mond‘ mehr verkennen und noch weniger das strahlende Tagesgestirn, das über dem Gericht des vierten Aktes aufgeht. Jede Möglichkeit der Rettung schwindet hier; eiserner Notwendigkeit gehorcht Herzog Ernst wenn er Agnes' Todesurteil unterzeichnet: „Es ist ein Unglück für sie und kein Glück für mich, aber im Namen der Witwen und Waisen, die der Krieg machen würde, im Namen der Städte, die er in Asche legte, der Dörfer, die er zerstörte: Agnes Bernauer, fahr' hin!“ — — Zum zermalmenden Komet endlich trübt sich die Sonne der Idee im Schlussakt des Dramas:

„Was hab' ich verbrochen?“ fragt Agnes, das unschuldige Opfer der Notwendigkeit, da man ihr den Tod ankündigt. Und gross und dumpf wie die letzte Weisheit kosmischer Mythen lautet Preisings Antwort: „Die Ordnung der Welt gestört, Vater und Sohn entzweit, dem Volk seinen Fürsten entfremdet, einen Zustand herbeigeführt, in dem nicht mehr nach Schuld und Unschuld, nur noch nach Ursache und Wirkung gefragt werden kann!“ —

Mit zerstörender Wucht offenbart sich diese Idee des Staates auch in der letzten Szene des Dramas, wo das Unglaubliche wahr wird, wo der Vater, als Träger der Idee, den Sohn überwindet: „Wenn das Gewalt ist, was du erleidest, so ist es eine Gewalt, die alle deine Väter dir antun, eine Gewalt, die sie sich selbst aufgeladen und ein halbes Jahrtausend lang ohne Murren ertragen haben, und das ist die Gewalt des Rechts. Weh' dem, der einen Stein wider sie schleudert, er zerschmettert nicht sie, sondern sich selbst, denn der prallt ab und auf ihn zurück.“ —

In fortschreitender Entwicklung entschleiert sich also der ideale Gehalt des Dramas immer deutlicher und klarer, die Gestalten den Wechsel von persönlicher Vereinzelung zu ewigen Typen durchlaufen lassend. Natürlich büssen die Individuen bei dieser Umwandlung keineswegs ihre lebendige Persönlichkeit ein; aber das Einzelgeschick vertieft sich durch seine Beziehung zu dem All in einem Grade, dass es allgemeine, kosmische Bedeutung gewinnt und in diesem Sinne einen Typus repräsentiert. — Und in jener Skala steigert sich dabei die Idee, die Hebbel einmal im Tagebuch vom 1. Januar 51 folgendermassen festgehalten hat:

„Erste Stufe künstlerischer Wirkung: es kann so sein!
Zweite Stufe künstlerischer Wirkung: es ist!
Dritte Stufe künstlerischer Wirkung: es muss so sein!“

Das durch die Debatte der Idee bedingte gegenseitige Verstehen der Charaktere

— — Die unmittelbar in die Idee verlegte Dialektik der Hebbel'schen Tragödie bedingt ein Moment, dass der Dichter zu ganz bestimmten künstlerischen Wirkungen verwertet. Dass die dramatischen Charaktere allmählich in hoher Einsicht der Idee über ihr persönliches Geschick hinauswachsen, hat ein stufenweise sich entwickelndes, gegenseitiges Verstehen derselben zu Gefolge, eine Annäherung der ursprünglich gegensätzlichen Gestalten, ein Heranwachsen der Charaktere an einander. Namentlich in den letzten Akten der Dramen stellt sich diese zarte Seelenbeziehung, diese Einigung der Gestalten in der Idee her. Und ungezwungen bietet sich darin dem Dichter ein Mittel, seinen Werken einen harmonischen Abschluss zu geben. Es war ja schon oben darauf hingewiesen worden, wie sehr Hebbel im modernen Drama einen reinen Ausklang, der dem antiken durch den Chor gewährleistet wurde, vermisst. Diese Annäherung der Charaktere nun gibt ihm das Mittel, seinem Kunstwerk einen ausgeglichenen, grossen Schluss zu sichern. — Wenige Beispiele mögen dafür Beleg bieten: Welche erschütternde Weihe ruht nicht über jener Szene der „Agnes Bernauer“, da Vater und Sohn auf dem Schlachtfeld sich in unvergänglicher Versöhnung finden. Wie schlicht und doch wie heilig ist dieser Augenblick, wo Herrscher und Thronfolger sich in die Arme sinken, geeint durch die ewige Idee des Staates, der sie sich beide als einer unerbittlichen Notwendigkeit beugen müssen. —

Die Benutzung dieses Momentes zur harmonischen Ausgestaltung des Dramenschlusses

Und welch ergreifende, zarte Fäden gegenseitigen Verstehens stellen sich zwischen den Gestalten des „Gyges“ her. Drei Menschen, jeder durch schwindelnde Abgründe vom andern getrennt, wachsen an einander heran, sehen jeder mit schmerzlichem Verständnis des andern Leid und begegnen ihm in Mitgefühl und Liebe. Wieviel Mitleid steckt nicht in den Worten, die Rhodope für Gyges findet:

„Du bist ein Jüngling — Du denkst so edel“.

Wie unwillkürlich brechen sie aus ihr heraus als Zeichen innerer Anteilnahme an dem Geschicke dieses edlen Jünglings, der ihr in tiefster Seele verwandt ist. Und wie sympathisch, verhalten - sehnsüchtig begegnen sich diese beiden Naturen in ihrem Abschied:

Rhodope.

„Leb wohl! —“

„Und wenn's dich freuen kann, vernimm noch Eins:"
„Du hättest mich der Heimat nicht entführt,"
„Um so an mir zu tun!"

Ist es nicht ein feiner Zug innerer Annäherung, dass Gyges die Königin daraufhin zum erstenmal mit ihrem Namen anzureden wagt:

„Meinst du Rhodope?"
„Das heisst: ich wäre eifersüchtiger"
„Und neidischer gewesen, hätte mehr"
„Gefürchtet, weil ich wen'ger bin, als er,"
„Und doch beglückt es mich, dass du dies meinst,"
„Und ist genug für mich, mehr als genug."

Nicht mehr selbstische Rache bestimmt die Handlungen dieser Menschen, nur noch die eiserne Notwendigkeit der sittlichen Idee:

„Du musst ihn töten!" sagt Rhodope zu Gyges,
„Du musst! Und ich — Ich muss mich dir vermählen." Und weiterhin:

„Du musst es tun,"
„Wie ich es fordern muss. Wir dürfen beide"
„Nicht fragen, ob's uns schwer wird oder leicht."

Nur diese wenige Züge mögen zeigen, wie Hebbel durch die gegenseitige Annäherung der Charaktere in der Idee seinen Tragödien den weihevollen harmonischen Ausklang sichert. Königlich gross und dabei doch menschlich begreiflich macht dies gegenseitige Heranwachsen die Hebbelschen Gestalten. Kronprätendenten sind sie, alle von demselben glücklichen Sieger, dem unerbittlichen Weltengeist, überwunden und gemeinsam in den Tod geschickt. Sie sehen sich, sie weihen sich einen stillen, versöhnten Blick und gehen dann gefasst ihrem Schicksal entgegen.

Die Parallelhandlungen und die Idee, eine Frage des inneren Aufbaus

Darstellung des Themas von der negativen Seite: Der Mangel inneren Aufbaues in der „Judith“

In einer der vorigen Erörterungen war in einem Zusatz nebensächlich darauf hingewiesen worden, dass die beiden Handlungen der „Judith“, obwohl äusserlich fest verknüpft, in der Idee nicht verbunden seien. Im Anschluss an diese Bemerkung lässt sich das Verhältnis der Idee und der beiden Handlungen überhaupt klarstellen. Bleiben wir zunächst einmal bei der „Judith“. Hier ist die äussere politische Handlung lediglich Anlass zur psychologischen, lediglich Gelegenheitsursache dazu, ohne innerlich mit ihr in tieferem Zusammenhang zu stehen. Gleich hier muss betont werden, dass dieser Mangel, wie überhaupt die hier erörterte Frage, sich nur auf den inneren Aufbau bezieht, und mit dem lückenlos geschlossenen äusseren Aufbau der „Judith“ in gar keine Beziehung gesetzt werden kann. Diese Klarstellung hier ist ganz unabhängig von dem streng gewahrten Parallelismus der beiden Handlungen, von der Gleichheit der steigernden Momente u. s. w. Und auf was läuft die Auseinandersetzung hier hinaus? Wodurch ist der Mangel im innern Aufbau der „Judith“ gegeben? Durch das Fehlen einer gemeinsamen Auflösung der beiden Handlungen in der Idee des Dramas. — In der Judith wächst nur die psychologische Handlung zur Idee aus, die politische Handlung steht der psychologischen hinsichtlich der Idee ebenso fern, wie sie (noch einmal sei es betont!) hinsichtlich des äusseren Aufbaus eine lückenlose Einheit mit ihr bildet. Was hat der „Unterschied zwischen dem echten ursprünglichen Handeln und dem blossen Sich-Selbst-Herausfordern“ (Idee der Judith) schliesslich mit den politischen Kämpfen der Israeliten zu tun? Gerade in dem innerlichen Loslösen Judiths von ihrem Volke, in der Ausschaltung aller nationalen politischen Motive bei ihrer Tat, zu Gunsten der rein persönlichen, beruht ja das ihre Tat verschiebende Moment, das diese als ein blosses Selbst-Herausfordern, nicht als echtes Handeln kennzeichnet, beruht somit die Idee der Tragödie.

Darstellung von der positiven Seite: Der ideale innere Aufbau des „Gyges"

Vielleicht wird das Verhältnis der Idee zu den beiden Handlungen noch deutlicher, wenn ich es einmal von der positiven Seite beleuchte, wenn ich einmal eine Tragödie vornehme, wo die politische und psychologische Handlung sich rein in der Idee auflösen. Als das Ideal eines solchen Dramas kann „Gyges und sein Ring" gelten. Hier werden der äussere und der innere Konflikt durch die gemeinsame Idee verbunden und gekrönt. Untersuchen wir das Drama einmal in dieser Hinsicht! Der Gegensatz zweier Stufen kultureller Entwicklung in zwei verschiedenen Gruppen von Menschen mit verschiedenen sittlichen Begriffen, einer in höherer Kultur aufgewachsenen und einer barbarischer gesinnten, ist die unterste Grundlage der Tragödie. Auf dieser entfalten sich die beiden Handlungen.

A. Die äussere Handlung.

Ein König ist unter seinen Barbaren der höchst organisierte, berufen sie emporzuheben. Aber er ist ein Dekadenter, Siecher; das kraftlose Hellsehertum der Entartung ist ihm eigen, gross im überlegenen Zerstören, klein im Aufbauen. Die alten Bräuche, die eine Jahrhunderte alte Tradition seinem Volke geheiligt hat, schüttelt er ab, übersehend, dass die alten Formen auch die alten Kräfte bergen und dass er selbst nichts neues zu bieten vermag. Gärung und Empörung regt sich darob rings im Land und einem Fremdling fällt nach des Königs Tod die Krone anheim.

B. Die innere Handlung.

Ein König ist im Besitz des schönsten, ihm seelisch und geistig weit überlegenen Weibes, dem seine Anschauungen strenge verbieten, sich der Welt zu zeigen. Er aber, rauher und roher, kann nicht glücklich sein im blossen Gefühl ihres Besitzes, sondern nur im Bewusstsein des anerkannten, man muss geradezu sagen, beneideten Besitzes. Er lässt sich dazu verleiten seinen Freund, verhüllt durch eines Wunderringes Zauberkraft in das Schlafgemach der Königin zu führen, sich an seiner Bewunderung zu weiden. Für diesen Frevel büsst er mit seinem Leben.

Die Idee des Dramas.

In beiden Handlungen ist sie dieselbe: die Macht der Sitte. Der König hat seinem Volke die Welt zertrümmert, den ehrwürdigen Bau aus rostigen Schwertern und erblindeten Kronen, und damit den allgemeinen Weltwillen verletzt; er hat seinem Weibe den heiligen Schleier entrissen, das kostbare Webstück Jahrhunderte alter Tradition, und damit gegen die kosmische Harmonie sich versündigt. Beidemale hat er Hand gelegt an den Schlaf der Welt, ohne ihr Höheres bieten zu können als den Tand, den sie besitzt; das Bestehende in Staat und Sittengesetz hat er zerstört und bezahlt mit seinem Leben diese Sünde an der Idee. —

Scharfe Unterscheidung des äusseren und inneren Aufbaus

Bietet uns so der „Gyges“ ein hinsichtlich des inneren Aufbaus, der Auflösung der Handlungen in der Idee, vollendetes Drama, so bietet er uns auch zugleich wieder ein Beispiel für den Unterschied zwischen dem inneren und äusseren Aufbau. Denn keineswegs entspricht der gemeinsamen Auflösung der beiden Handlungen in der Idee auch eine gleichmässige Ausarbeitung derselben im fertigen Drama: hinsichtlich des äusseren Aufbaues tritt der politische Konflikt vor dem psychologischen im „Gyges“ weit zurück. In diesem letzteren Betracht sind „Judith“ und „Mariamne“ eher im Vorteil, wo politischer und psychologischer Konflikt im äusseren Aufbau harmonischer wie im „Gyges“ zusammenstimmen, während sie allerdings der reinen Einigung in der Idee entbehren.

Die Gestalten des Dramas in Bezug auf Handlungen und Idee

Beide Hauptpersonen äussere und innere Handlung verbindend

Hinsichtlich der Handlungen und der Idee lässt die Gruppierung der Personen des Dramas die mannigfachsten Unterschiede zu. Meist sind zunächst die äussere und innere Handlung durch die Hauptpersonen der Tragödie verbunden. So sind die Parallelhandlungen der „Judith" durch die zwei Hauptgestalten der Dichtung, Holofernes und die Maccabäerin, verknüpft: als Vertreter ihres Volkes sind beide an der äusseren Verwicklung beteiligt, als eigenartige Menschen sind sie die einzigen Träger der inneren, und nur in dieser Eigenschaft repräsentieren sie, wie nach dem vorigen Kapitel nicht mehr zweifelhaft sein kann, die Idee des Dramas. —

Stellung der Nebenpersonen zu den Hauptpersonen

Um die Hauptpersonen des Dramas gruppieren sich dann die Nebengestalten und stehen zu ihnen nach Hebbels Meinung wie jene zur Idee. — Nur an einer Nebenperson der „Judith" sei dies Verhältnis klargelegt, an Ephraim. Diesem Schwächling wird Judith ebenso zum Schicksal, wie ihr die Überschreitung der weiblichen Natur. Der Dichter verkettet also das Los der Nebenfigur mit dem des Hauptcharakters, indem er sie so zu ihm stellt, dass sich für sie ebenso alles um die Hauptperson dreht, wie für diese alles um die Idee.

Ephraims Figur ist in Hebbels Dramatik nicht vereinzelt: Wie er zu Judith, so steht hinsichtlich der Personengruppierung Theobald zu Agnes Bernauer, so steht Lesbia zu Gyges. —

Gleichzeitig Träger der inneren und äusseren Handlung, die sich in ihnen verbinden, sind in der Judith die beiden Hauptfiguren. Eine andere Gruppierung lernen wir in „Herodes und Mariamne" kennen. Hier ist es die Person des Königs, die beide Handlungsfäden wie ein Knoten verbindet: er gehört als eine Partei jeweils den Personengruppen beider Handlungen an: mit Mariamne und Soemus als Gegenspielern trägt er den seelischen Konflikt, mit Sameas und Alexandra als Partner den politischen. Hier tritt also die eine Hauptfigur in eine verbindende Mittelstellung zu den Personen der beiden Handlungen. Zu den extremen Häuptern der Handlungen nehmen die übrigen Figuren in grösserem oder kleinerem Abstand Stellung: Titus, Salome, Josef, alle drei entweder für äussere oder für innere Handlung oder wechselweise für beide bedeutsam. —

Eine Hauptperson verbindet beide Handlungen

Ähnlich wie in „Herodes und Mariamne" gruppieren sich in „Gyges und sein Ring" die Personen. Auch hier steht Kandaules als Bindeglied der äusseren und inneren Handlung im Mittelpunkt des Dramas. Mit Rhodope einerseits trägt er den psychologischen, mit seinem Volk (vertreten durch den alten Diener Thoas) andererseits den politischen Konflikt. In beiden Handlungen spielt Gyges eine entscheidende Rolle, ohne doch eigentlich irgendwo eine äusserste Stellung einzunehmen.

Mittelbare und unmittelbare Stellung der Personen zur Idee

Was die Stellung der Personen zur Idee in „Herodes und Mariamne" und im „Gyges" angeht, so sind hier in erster Linie die Hauptspieler unmittelbare Träger der Idee, während die Nebenspieler durch ihre Beziehung zu den Hauptspielern mittelbar die Idee des Dramas repräsentieren.

Ein Drama, wo alle Personen unmittelbar zur Idee in Beziehung stehen, ist die „Genoveva", die rein hinsichtlich der Durchführung der Idee das konsequenteste der Hebbelschen Dramen genannt werden kann. Zwar haben wir auch hier zwei extreme Häupter, die alte Margareta und Genoveva, das verkörperte böse und das Fleisch gewordene gute

ZWEITER TEIL

Nachdem die Faktoren der Hebbel'schen Tragödie auseinandergelegt worden waren, galt es, in dem ersten Teil dieser Arbeit die Verarbeitung der Faktoren innerhalb des fertigen Dramas in grossen Zügen darzustellen; dieser zweite Teil soll nun im einzelnen die Mittel durchmustern, deren sich der Dichter zu seiner künstlerischen Arbeit bedient.

Die beiden Grundformen dramatischer Technik

Ziel und Wesen dramatischer Arbeit

Das Ziel jeder dramatischen Arbeit besteht darin, uns bestimmte Tatsachen durch bestimmte Personen zur Erzielung eines bestimmten künstlerischen Eindrucks zu übermitteln.

Das eigentliche Wesen dieser Arbeit besteht am Ende darin, die Tatsachen nicht offen und unverhüllt zu geben, sondern sie aus den mannigfaltigen Verschiebungen resultieren zu lassen, die sie infolge der subjektiven Befangenheit des Individuums erfahren. „Das Notwendige bringen, aber in der Form des Zufälligen: das ist das ganze Geheimnis des dramatischen Stils“ (Tagebuch vom 20. Mai 47). So unendlich verschieden die Menschen sind, so verschieden werden sie sich auch zu demselben Gegenstande stellen; jedes Individuum ist notwendig so in sich selbst befangen, dass sich ihm gemäss seiner Natur ein Gegenstand anders darstellt als seinem wesensverschiedenen Mitmenschen. Auf dieser subjektiven Befangenheit des Individuums beruht jede dramatische Tatsachenvermittlung. Denn nehmen wir einmal an, zwei Personen, in deren Begriff ein Gegenstand (im weitesten Sinne!) verschiedene Gestalt angenommen hat, treten einander gegenüber und kommen in Gedankenaustausch, so wird sich ein lebendiger Gegensatz ergeben, der nicht ohne Mühe und Zeitaufwand zu beseitigen ist und sich in eifriger

Wechselrede auszugleichen strebt. In allen möglichen Phasen können die beiden Personen zuerst den Gegenstand durchlaufen, ehe sie zur Klarheit über ihn kommen. —

Und noch eine andere Möglichkeit lässt sich denken. Ebenso wie ein Gedanke in wenigen Personen, die inständig in Gedankenaustausch stehen, in zeitlicher Aufeinanderfolge unendlich viele verschiedene Entwicklungsphasen durchlaufen kann, so kann er sich auch in eben diesen Phasen darstellen, wenn er von vielen Personen erörtert wird, die nacheinander in Verbindung treten und deren jede meinetwegen nur eine, aber von den andern verschiedene Meinung über ihn äussert. — Diese beiden Möglichkeiten stellen die Grundformen jeglicher dramatischen Tatsachenvermittlung dar. Beide Methoden sind im letzten Betracht analytischer Natur, denn schliesslich ist es doch dasselbe, ob sich ein Ergebnis aus den möglichst compliziert und oft verschlungenen Meinungen weniger Köpfe entwickelt, oder aus den einfacheren vieler Köpfe; schliesslich ist es doch gleich, ob man die Entwicklungsphasen des Ergebnisses auf viele oder wenige Personen verteilt; nur dass im ersten Falle die Personen komplizierter, schwerer fassbar, psychologisch detaillierter werden, im zweiten Falle einfacher, unmittelbarer, durchsichtiger. Die erste Methode der Darstellung ist die des einfachen, strengen Dramas mit wenigen mächtigen Einzelfiguren, die zweite, die des figurenreichen, loser gefügten. Ersteres führt den Konflikt zwischen den Hauptpersonen in möglichst vielen Wendungen seinem Ende zu, letzteres verteilt den Konflikt auf möglichst viele Träger. Für jede der beiden Arten nur ein Beispiel. Als Typus eines Dramas mit grossen Einzelfiguren kann der „Gyges“ gelten. Und fast die ganze Tragödie besteht nur aus einer stadienreichen Klarlegung der Verhältnisse zwischen Kandaules, Gyges und Rhodope. Nachdem mit dem ersten Akt die Verwicklung gegeben ist, haben wir vom zweiten bis zur Hälfte des vierten nur ein Kämpfen um die gegenseitige klare Feststellung der Verhältnisse und

Die Grundformen der dramatischen Technik

von da ab bis zum Schluss nur ein Bemühen, die Lösung zu finden.

Wie diese Technik im einzelnen verfährt, belege ein Beispiel. Allgemein gesprochen besteht ihre Art zu wirken in dem Fortschritt vom Allgemeinen zum Besonderen. Man vergleiche einmal daraufhin im vierten Akt des „Gyges" die Stelle, wo Rhodope dem Griechenjüngling den Tod ankündigt:

Gyges

„So sag mir jetzt, wozu beriefst Du mich?"

Rhodope

„Zum Tode. —"

Ganz allgemein also drückt sie ihren Wunsch aus, ganz ohne die näheren Umstände. Und dies bedingt, dass er missverständlich aufgenommen wird. Gyges, in der Hoffnung befangen, dass er sich selbst töten kann, sträubt sich nicht gegen den Tod, sondern erklärt seine Bereitschaft dazu. Just diese schnelle Bereitschaft aber ist Rhodope verdächtig, und veranlasst durch den Wahn, dem sich der Jüngling hingibt, entfaltet sie auch die für Gyges entsetzlichen näheren Umstände ihrer Bitte:

„Nicht durch eigene Hand und nicht durch Mord,"
„Durch deinen höchsten Richter sollst du fallen,"
„Gleich kommt der König und bestimmt dein Los."

Man sieht, die Wirkungen dieser Technik basieren auf dem Missverständnis: dieses sorgfältige Aussparen eines letzten noch zu erschliessenden Punktes, dies missverständliche Aufeinandereingehen und bei dämmernder Erkenntnis Wiedertrennen ist ihr Geheimnis; dieser Kunstgriff macht es überhaupt erst möglich, eine Enthüllung zwischen wenigen Personen dramatisch umzusetzen. Möglichst viel Missverständnisse zwischen möglichst wenig Personen, Übergang vom Allgemeinen zum Besonderen sind die Schlagworte dieser technischen Methode.

Und wodurch ist im Gegensatz dazu die zweite Methode bestimmt? — Auch für sie zunächst ein Beispiel. Die letzte Hälfte des ersten Aktes der „Judith“ steigert sich nach der Erwähnung der Hebräer in ununterbrochener Stufenleiter bis zum Aktschluss. Um die künstlerische Arbeit dieses Momentes zu verstehen, muss man festhalten, dass der eigentliche Feind des Holofernes, das Hebräervolk, dem Feldherrn hier lediglich als Begriff, wie er in Achior und dem Mesopotamier verschiedene Physiognomie gewonnen hat, entgegentritt. Und nun bewirkt nicht der wachsende Gegensatz, in dem Holofernes zu den Juden, seinen eigentlichen Gegnern, steht, die Steigerung, sondern der zunehmende Kontrast zwischen ihm und der individuellen Färbung, die der Gesandte und Achior ihren Berichten über die Hebräer geben. — Statt des Hauptgegners treten hier also dem Helden Personen entgegen, die wegen ihrer besonderen Stellung zu dem eigentlichen Feind Gegenspieler in ganz individuell gefärbten Konflikten werden, deren Schlussresultat jedoch auch für die Haupthandlung wichtig und förderlich ist. In Gruppen kleinerer Konflikte den Hauptkonflikt einem Ergebnis zuführen: das ist das Geheimnis dieser dramatischen Technik.

Wollte man zusammenfassend noch einmal das gewonnene Ergebnis skizzenhaft darstellen, so hätte man zu sagen: Hebbels Drama führt zwei Prinzipien gegeneinander, die in wenigen Personen Physiognomie gewinnen. Diese Personen treten sich entweder unmittelbar gegenüber zu dem figurenarmen Drama mit mächtigen Einzelgestalten oder aber sie treten sich mittelbar mit einem ganzen Anhang kleinerer abhängiger Figuren gegenüber (in denen ihr Gegensatz erst wieder Physiognomie gewonnen hat) zu dem gestaltenreichen Drama.

„Das Drama ist nach meinem Urteil ein aus lauter kleineren zusammengesetzter grosser Kreis; jene kleineren darf und muss die Zeit mit ihrem materiellen Inhalt ausfüllen, denn woher käme der Kunstform an sich sonst die Notwen-

Die dramatische Erzählung

Die dramatische Individualisierung der Facta als belebendes Mittel der Erzählung

Am wenigsten wird sich die Individualität des Menschen in den Szenen geltend machen, die fast ausschliesslich der Tatsachenübermittlung dienen. — Dahin gehören vor allem die im Rahmen des Dramas gebotenen Erzählungen. Doch kann immerhin auch hier der Prozess der dramatischen Individualisierung einsetzen, und er ist hier insofern sogar wichtig, als er den Erzählungen die belebenden Mittel bietet. Diese sind vor allem durch den Ausdruck des individuellen Gefühles des Zuhörers bedingt, sei dieser nun ein einfaches Reagieren auf das Erzählte — Freude, Schmerz, Schreck, Mitleid, Erstaunen über das Gehörte bezeugend — oder sei es direkt eine eingreifende Tätigkeit, Fragen, Missverstehen, Zweifel etc.

Begleitende und eingreifende Stellung des Zuhörenden

Der Zuhörer kennt die Erzählung zum Teil schon

Ein besonderes belebendes Mittel gewinnt der Dichter, wenn er dem zuhörenden Teil die Erzählung zum Teil schon bekannt sein lässt. So wird es ihm möglich, diesen erklärende Zwischenbemerkungen einschalten zu lassen, ihn beistimmend, berichtigend sich äussern zu lassen und stellenweise die Erzählung durch ihn fortsetzen zu lassen.

Vergleiche man zur Illustration dazu die Erzählung Judiths zu Anfang des zweiten Aktes. Die Zwischensätze Mirzas „Und?“ — „Unglückliche!“ „Ich schaudere“ sind hier eben so viel Äusserungen persönlicher Neugier, persönlichen Mitleids, persönlichen Schreckens. Und solche erklärend oder fortsetzend eingreifende Unterbrechungen, wie „Ich schämte mich mit dir“ oder „Du presstest dein Gesicht erst einige

Augenblicke in deine Hände, dann sprangest du schnell auf und fielst ihm um den Hals", verraten, dass die Magd Judiths Bericht zum Teil schon kennt (wenn auch als unverstandenes äusseres Ereignis, für das ihr jetzt die seelische Erklärung gegeben wird).

Wie wird die Erzählung in einen umständlichen dramatischen Zusammenhang gebracht?

Zuweilen auch hat der Dichter die Erzählung in einen umständlichen dramatischen Zusammenhang gebracht, um sie zu beleben. Man vergleiche etwa einmal die Erzählung von Siegfrieds Verwundung im dritten Akt der „Genoveva". Hier soll der Erzählende die Hauptsache (die wir aber erfahren müssen!) verhehlen; ein Zufall (Blutfleck im Brief) spielt den Verräter, darob erregte Spannung und als Folge, Drängen des einen Teils, Zögern des andern und endlich aus Verwirrnissen und Ausflüchten ruckweises Herauslösen der Wahrheit.

Die Anordnung der Erzählung bedingt ihre dramatische Wirkung

In anderen Fällen wieder sichert die geschickte Anordnung einer Erzählung ihr eine dramatische Wirkung. Friggas Bericht von Brünhilds Herkunft (Siegfrieds Tod I 1) und Dietrichs Erzählung vom Nixenbrunnen (Kriemhilds Rache IV 17) könnten hier genannt werden. Beider Wirkung bedingt ein kühner Sprung, der das letzte Glied einer Erzählungsreihe an den Anfang setzt (Friggas Opfer, Dietrichs verschobenes Tuch); die übersprungenen Glieder der Reihe müssen nun zur Erklärung des vorweg gegebenen ersten gebracht werden, sei es als Antwort auf die Fragen neugierig gemachter, sei es freiwillig.

Hier, wie in allen Fällen, wo es sich um dramatische Umschreibung und Einkleidung einer Erzählung handelt, läuft zum Schluss alles darauf hinaus, den Gegensatz, den eine Erzählung nicht mit sich bringt (der aber Bedingnis jeglicher dramatischen Wirkung ist) künstlich zu erzeugen. Diesem Zwecke also dienen, die sowohl durch Anordnung als durch allzu persönliche Färbung künstlich hervorgerufenen Missverständnisse, die zu ihrer Behebung wieder der belebenden Fragen, Zwischenrufe etc. bedürfen.

Dramatische Szenen in epischer Form

Geradezu dramatische Szenen in epischer Form können etwa Golos Erzählungen im ersten Bilde des vierten Aktes der „Genoveva" genannt werden. Hier werden die dramatisch packenden Reden und Gegenreden zweier Personen einer Person reproduzierend in den Mund gelegt, abwechselnd Golo oder Katharina. Wenige Zeilen nur als Beispiel:

Katharina.

„Vier Knechte trugen einen Sterbenden,"
„Verhüllt, auf einer Bahre in die Burg."
„Wer ist es?" fragt' ich. „Golo!" sprach der Hans"
„Dumpf und gedämpft. „Tot?" — „Noch nicht, aber gleich!"

„Teichoskopien"

Fälle, wo Beobachtetes während des Schauens erzählt wird, können auch im Rahmen dieses Abschnittes angeführt werden. Die Wirkung solcher Berichte, die darauf basiert, dass der Zuschauer auf der Bühne mit dem Zuschauer im Parkett identifiziert wird und wie dieser den Verlauf und das Ende des beobachteten Vorgangs selbst noch nicht kennt, sondern voll Spannung erlebt, ist bekannt. Siegfrieds Wettkampf, das Ende der Nibelungen in dem brennenden Saal, Gyges' und Candaules' Zweikampf bieten bei Hebbel Belege dafür. Am wirkungsvollsten wird im IV. Akt der „Mariamne" diese Technik ausgenutzt, wo uns Salome und Titus ununterbrochen mit der hinter der Szene tanzenden Hebräerin in Verbindung halten und die Veränderung, die mit ihr vorgeht, vorbereiten, ehe ihr eigner Anblick sie uns bestätigt.

Expositionsmomente

Belebung der Vergangenheit durch Bezug auf die Gegenwart

Als Übergang von den dramatisch belebten Erzählungen zu den eigentlich dramatischen Szenen liessen sich jene Auftritte bezeichnen, wo es gilt, durch die Wechselrede zweier Gestalten Vergangenes zu übermitteln. Hier bietet die Einführung in eine Situation die es möglich macht, das zu Hörende auf etwas eben Erzähltes zu beziehen, dem Dichter ein glücklich belebendes Mittel. Nehmen wir ein Beispiel. Die erste Szene des zweiten Aktes in „Herodes und Mariamne" übermittelt uns die Stellung des Königs zu der reaktionären Partei seines Staates, wie sie sich von frühester Zeit an entwickelte. Über einer Situation hebt sich der Vorhang; wir werden mitten in einen begonnenen Dialog versetzt. Ein bedeutsamer Punkt muss eben erledigt sein;

„Dies weisst Du nun!"

ist das erste Wort der Szene, das eine längere Erzählung Alexandras abschliesst. Dadurch ist die Technik der Szene bedingt. Sie bringt die Tatsachen der Vergangenheit und erhält durch die gegebene Situation Gelegenheit sie in interessanter Beleuchtung zu bieten. Durch den Umstand, dass eben eine Erzählung abgeschlossen worden ist, wird es möglich, die Vergangenheit als Parallele zu dem Erzählten zu bieten und für sie so erhöhtes Interesse zu sichern, ihre Wiedergabe hier überhaupt als notwendig darzustellen.

Ähnlich wie die eben geschilderte Szene entwickelt sich auch die erste Szene des fünften Aktes in demselben Drama. Wieder gründet sich ihre Wirkung darauf, dass der hochgezogene Vorhang das Gespräch der Personen unterbricht, dass etwas vorhergegangen ist, worauf das Folgende bezogen werden kann, das so den Charakter der Mitteilung verliert und sich unter erregter Anteilnahme der handelnden Personen entwickelt.

Vergangenes als notwendiger Gegenstand gegenwärtiger Erörterung

Den günstigen Moment abwarten, wo der Zuschauer neugierig gemacht ist, ihn an eine Lücke führen, deren Füllung er ungeduldig erwartet: das ist das Geheimnis, um Tatsächlichem in längerer Folge ungefährdete Anteilnahme zu sichern. Vergangenes muss zum notwendigen Gegenstand gegenwärtiger Erörterung gemacht werden. Der erste Akt der „Maria Magdalena“ bietet Musterbeispiele dafür. Die alte Frau im Brautkleid; fordert das nicht eine Erklärung? Der unehrerbietige Sohn; wie konnte er so werden? Dann später die vorwurfsvolle Braut, der verstimmte Bräutigam; was ist's zwischen ihnen? Der zukünftige Schwiegersohn auf die Mitgift anspielend, der Alte ihn wider alle Hoffnung abfahren lassend, warum? Ebensoviel ‚erregende Momente‘ wie nachgeschickte Erklärungen, die durch sie notwendig gemacht werden.

Ein wieder ganz anders geartetes Mittel uns Vergangenes, das wir notwendig erfahren müssen, zu übermitteln, findet sich in Akt V Szene 4 von „Herodes und Mariamne“ verwertet. Hier hat uns der Dichter geradezu mit einem Spieler identifiziert, um zu seinem Ziel zu gelangen.

Identifizieren des Hörers mit einer Person der Szene um Vergangenes ungezwungen zu bieten

Durch Joabs Meldung ist dies technisch interessante Moment bedingt. Der Bericht des Boten basiert auf einem Befehl des Herodes, den wir noch nicht kennen und hier kennen lernen sollen. Nun lässt der Dichter eine dritte Person, Titus, anwesend sein, der des Königs Befehl noch ebenso unbekannt ist wie uns, und gewinnt dadurch die Möglichkeit, ihn ungezwungen zu erläutern. Wie eine Einschaltung in Joabs Meldung ist diese Aufklärung gegeben: Kaum hat er begonnen, da scheint sich Herodes zu besinnen, dass Titus den Zusammenhang nicht kennt, er legt ihn kurz klar, vernimmt des Römers Zustimmung und lässt erst dann den Boten fortfahren. „Das Notwendige bringen, aber in der Form des Zufälligen“: sei dies Hebbelwort hier noch einmal wiederholt.

Der faktische Gehalt der dramatischen Szene

Faktum und Individuum in der dramatischen Szene

Irgend etwas Tatsächliches übermittelt uns jede dramatische Szene. Wenn bei den in den vorigen beiden Abschnitten behandelten Szenen die Vermittelung des Faktischen Hauptsache gewesen war, das es nur dramatisch zu beleben galt, so ist es das Kennzeichen der eigentlich dramatischen Szene, dass das Faktische in ihr so individuell belebt wird, dass wir es gar nicht mehr als solches empfinden, sondern lediglich darin die Äusserung eines Individuums sehen. „Das Drama schildert den Gedanken, der Tat werden will, durch Handeln oder Dulden" (Tagebuch vom 24. Okt. 35). Machen wir uns das an einem Beispiel aus „Herodes und Mariamne" klar. Dort gibt uns die Szene zwischen Josef und dem König Ende des ersten Aktes die endgültige Aufklärung über den Tod des Aristobolus. Das technisch Interessante dabei beruht nun darin, dass die aufklärende Tatsache nicht als Faktum, sondern als Ausdruck individuellen Gefühls gegeben wird: Josef verwünscht die Spiondienste, die er dem König geleistet hat; er bedauert sie und sähe sie gern ungeschehen. So empfinden wir hier gar nicht, dass uns etwas Faktisches mitgeteilt wird, wir hören vielmehr lediglich individuell charakteristische Äusserungen, in denen eine Gestalt sich psychologisch enthüllt.

Zuweilen verdankt dieser individuellen Tatsachenvermittelung geradezu eine neue Gestalt das Leben. Man nehme die entzückende Genrefigur des Edelknechts (Genoveva IV₃) der seines Herrn Helm putzt und dabei dessen bevorstehende

Abreise von Strassburg verwünscht. Hebbel zeigt uns diese Nebenfigur in ihrer persönlichen Stellung zu dem, was wir wissen müssen und vermittelt es uns so lebendig und anschaulich; über der prächtigen jugendfrischen Gestalt des Knappen vergessen wir alle trockenen Tatsachen.

Eins dürfen wir bei dieser individuellen Vermittelung der Tatsachen nicht übersehen. Die Facta werden uns in völlig einseitiger Beleuchtung geboten, wir hören ein völlig subjektives Urteil darüber. — Wie gelingt es dem Dichter diese Einseitigkeit zu korrigieren? Er bietet uns ein Faktum in einer ganzen Reihe einseitiger Beleuchtungen und weiss es dadurch auf seinen wahren Gehalt zu modifizieren. Zu Anfang des zweiten Aktes der „Genoveva“ etwa werden wir über den Ausgang von Golos Wagnis unterrichtet. Nun erfahren wir denselben einmal durch den Mund Kaspars und Balthasars, dann durch Golo selbst und gewinnen durch diese verschiedenen Aussagen einen vollständigen und umfassenden Eindruck davon. Wir hören wie das Ereignis vor sich ging, mehreremale in einseitiger Beleuchtung der verschiedenen Zuschauer, hören Golo selbst darüber, endlich die Stimmen der Umgebung dazu und machen uns aus diesem allem ein objektives Bild.

Modifikation der Fakta durch eine Reihe von Darstellungen

Oder man nehme in „Herodes und Mariamne“ die verschiedenen Stimmen, die über des Aristobolus’ Tod laut werden: erst die Anklage bei Antonius, wie sie Joab berichtet, dann die Rechtfertigung des Herodes Mariamne gegenüber und seine Szene mit Josef, dann im II. Akt die Szene Alexandras mit Herodes’ Schwager u. s. w. Auch hier reduzieren wir die durch die verschiedenen Individuen bedingten, gegensätzlichen Darstellungen zu ihrem wahren Gehalt.

Technik des Charakterisierens

Das Ziel einer echt dramatischen Szene ist sicherlich nicht einzig die Vermittelung ihres oft geringen faktischen Gehalts, sondern in weit höherem Masse die Entfaltung der Charaktere, von denen sie getragen wird. Es war schon in dem vorigen Abschnitt darauf hingewiesen worden, dass das Tatsächliche eines echten dramatischen Auftritts fast völlig in dem individuellen Ausdruck, den es dort erhält, verschwindet. Keine andere Formel aber liesse sich für die Technik des Charakterisierens finden, als die auch für die Tatsachenvermittelung geltende: das Faktische in der Spiegelung individuellen Gefühls geben! „Der echte Dichter bedient sich der geheimnisvollen Macht des Wortes, welches, wenn es ein Produkt des Charakters und der Situation ist, mehr noch den Menschen, der es gebraucht, als die Sache, die er bezeichnen will, entschleiert" (Tagebuch vom 23. Nov. 38). Auch Hebbel sieht also in der angeführten Formel das Geheimnis des dramatischen Individualisierungsprozesses. Wie das Tatsächliche sich einerseits nur als „Handeln oder Dulden" von Individuen dramatisch umsetzt, so ist es andererseits die Gelegenheit zu psychologischer Charakterzeichnung. Beides ist im Grunde dasselbe, es kommt nur darauf an, ob man die Formel unter dem Gesichtspunkt der Tatsachenvermittlung oder unter dem der Charakterzeichnung in's Auge fasst. Darum könnte man auch die Beispiele des vorigen Abschnitts ebensowohl wie sie dort zur Illustration der dramatischen

Formel des Charakterisierens

Tatsachenvermittlung dienten, hier zur Illustration der Charakterzeichnung heranziehen. Doch hatte in den Beispielen des letzten Kapitels das auszudrückende Faktum immer noch einen Wert an sich, es bezeichnete eine notwendige Auskunft, die uns irgendwo werden musste. Daneben aber gibt es anders geartete Szenen, die lediglich der Charakterentfaltung dienen und wo das vermittelte Tatsächliche so geringfügig ist, dass wir ihm keinen selbständigen Wert zuerkennen können. Nehmen wir aus dem ersten Akt der „Mariamne" den Abschied des Königs von seinem Weib. Wäre es nicht lächerlich, wenn man sagen wollte, in der individuellen Spiegelung einer Liebesoffenbarung drücke dort Herodes seine Anklage bei Antonius aus? Hier ist die individuelle Seelenstimmung, der Gefühlsausdruck, so durchaus Hauptsache, dass der geringe tatsächliche Kern, an dem er sich breit und voll entfaltet, nicht nur verschwindet (das tut die Tatsache ja oft im dramatischen Ausdruck, auch wo sie von Wichtigkeit ist), sondern überhaupt nicht erwähnt werden kann, ohne lächerlich zu wirken. —

Szenen, lediglich der Charakterentfaltung dienend

Dass derselbe Gegenstand (im weitesten Sinne!) in der Darstellung zweier verschiedener Charaktere eine Modifikation erleidet, war als das Geheimnis dramatischer Wirkung überhaupt dargestellt worden. Wie sich nun auf dieser Grundformel die vorigen Abschnitte der Tatsachenvermittlung aufbauen liessen, so lässt sich daraus noch im besonderen eine Technik des Charakterisierens ableiten. Zwei Personen als verschiedene Charaktere dadurch dokumentieren, dass sie sich zu demselben Gegenstand verschieden stellen, ist dem Dichter ein wichtiges Mittel der Gestaltenzeichnung. Man schlage die vierte Szene des Nibelungenvorspiels auf. Wie scharf und ungezwungen charakterisieren die verschiedenen Stimmen zu Siegfrieds meisterlichem Steinwurf die Helden: Gieselher, der liebenswürdige Jüngling, um Verzeihung bittend, dass er sich neben dem Recken zum Wettbewerb gestellt, Gunther, der wohlwollende Mann, dem sein Gast immer mehr gefällt,

Verschiedene Stellung zu demselben Gegenstand gibt verschiedene Charaktere

Hagen endlich, der misstrauische Neider, der sich nicht übertroffen sehen kann. — Oder man nehme aus dem Schlussakt der „Mariamne“ die Szene, wo Titus und Alexandra die schwere Aufgabe zufällt, Herodes das Vermächtnis von Mariamnes Unschuld zu eröffnen. In der Art, wie beide ihre Aufgabe lösen, bot sich dem Dichter ein wirksam charakterisierendes Mittel. Titus kann dem König seine Teilnahme nicht versagen und sucht ihn, so weit es möglich ist, zu schonen; Alexandra aber spielt ihre Geheimnisse triumphierend wie glückliche Karten aus und steht gleich einer fühllosen Furie neben dem zusammengebrochenen König:

„Du bist gerächt, mein Sohn, und ich in Dir!“ —

Direkte und indirekte Charakteristik

Wie sich die Charaktere in den Tatsachen finden und trennen und so sich darstellen können, so können sie auch in ihrer Meinung über sich selbst und über andere sich enthüllen. „Was die bewusste Darstellung in der Kunst von der unbewussten im Leben (denn Darstellung ist's auch, Heraustreten des Innern in's Äussere) am strengsten scheidet, ist der Umstand, dass jene scharfe und ganze Umrisse geben muss, wozu sie nur dadurch gelangen kann, dass sie den darzustellenden Charakter zum Maler seiner selbst macht, während diese nur stückweise zu geben braucht“ (Tagebuch vom 12. Januar 41). So kann z. B. eine einzige Selbstäusserung einen ganzen Charakter umschliessen. Ein Wort wie das des Holofernes (Akt IV): „Weib, es kommt mir vor, als ob du mit mir spieltest. Doch nein, ich beleidige mich selbst, indem ich dies für möglich halte“ verlangte eine eingehende Analyse, wollte man seinen charakterisierenden Gehalt in vollem Umfang erfassen. Die ganze Befangenheit dieses Helden in seinem eigenen Ich steckt darin. —

Und wie geben sich die Charaktere in der gegenseitigen Betrachtung? „Poetische Charaktere werden zusammengeführt, damit sie sich durcheinander entwickeln und ineinander abspiegeln und so gemeinschaftlich ihr bedingendes endliches Schicksal erzeugen“ (Tagebuch vom 2. Febr. 39).

Ein Charakter fällt über den anderen sein subjektives Urteil, und wir, die wir den Urteilenden oder den Beurteilten inzwischen kennen gelernt haben oder noch kennen lernen, modifizieren es auf seinen richtigen Gehalt und nehmen gleichzeitig die direkte Charakteristik eines anderen als indirekte Charakteristik für den Sprechenden selbst. Denn wir rechnen es in sein Charakterbild ein, dass er dies oder jenes schön oder hässlich, hoch oder niedrig gefunden. Hagens Urteil über Siegfried z. B.:

„Wenn man durchsichtig ist wie ein Insekt,“
„Das rot und grün erscheint wie seine Speise,“
„So muss man sich vor Heimlichkeiten hüten,“
„Denn schon das Eingeweide schwatzt sie aus!“

dämpfen wir nicht nur zu seinem wahren Gehalt zurück, sondern nehmen es in fast noch höherem Grade als für den Tronjer bezeichnend auf. Ein ähnliches Resultat zeitigen die Eingangsszenen der „Maria Magdalena“: die Äusserungen Karls und Klaras über den Vater lassen ebensowohl das Bild des Schreinermeisters vor uns erstehen, wie sie uns die Charaktere der beiden ungleichen Kinder enthüllen.

Charakterzeichnung durch Taten

Unter Hebbels Notizen zu einem Napoleonplan findet sich die Bemerkung, dies Problem lasse sich nur lösen, wenn der Kaiser als darzustellender Charakter ‚durch ein Gewitter von Taten‘ gezeichnet werde. Daran möchte man denken, wenn man einzelne Charakterzüge im Bilde des Holofernes oder Herodes näher in's Auge fasst. Man erinnere sich etwa an den ersten, den vierten und fünften Akt der „Judith“: wo immer wir Gelegenheit haben, Holofernes im Verkehr mit seiner kriegerischen Umgebung zu sehen, spricht er zu ihr in Taten. Oder man vergegenwärtige sich Herodes' Hinrichtungsbefehl ($III_{2 \text{ u. } 3}$), eine Tat-Antwort des Königs gleichsam, auf Mariamnes:

„Frage den,“
„Der mir's verriet, was er empfangen hat,“
„Von mir erwarte keine Antwort mehr!“ —

Die Charaktere nach Zeit, Nation und Gesellschaftsstufe

Endlich noch ein Wort über Hebbels Kunst, die Charaktere nach Zeit, Nation und Gesellschaftsstufe abzuschattieren. „Woher entspringt das Lebendige der echten Charaktere im Drama und in der Kunst überhaupt? Daher, dass der Dichter in jeder ihrer Äusserungen ihre Atmosphäre widerzuspiegeln weiss, die geistige wie die leibliche, den Ideenkreis, wie Volk und Land, Stand und Rang, dem sie angehören" (Tagebuch vom 17. September 1847). „Der dramatische Individualisierungsprozess ist vielleicht durch das Wasser am besten zu versinnlichen. Überall ist das Wasser Wasser und der Mensch Mensch, aber wie jenes von jeder Erdschichte, durch die es strömt oder sickert, einen geheimnisvollen Beigeschmack annimmt, so der Mensch ein Eigentümliches von Zeit, Nation, Geschichte und Geschick" (Tagebuch vom 16. Septbr. 53). — Man müsste schon weitläufige Auszüge aus dem Dialog der Hebbel'schen Dramen machen, wollte man auch nur die schlagendsten Belege zu den zitierten Stellen zusammenraffen. Natürlich bieten Kaspar Bernauer und Meister Anton Musterbeispiele dafür, von denen der eine so wenig Hobel und Hammer verleugnen kann, wie der andere Seifenbecken und Schnepper. Aber auch andere, nicht ganz so drastische Muster liessen sich anführen. Man vergleiche etwa in der „Agnes Bernauer" (I_{13}) den abgezirkelten Chronikstil des Augsburger Bürgermeisters und Herzog Albrechts leichte Weise: hie konservatives Alter, hie ungebärdige Jugend. Derberes enthalten wieder die Lustspiele, immer aber in jener Vereinigung von Realismus und Idealismus, die Hebbel streng gewahrt wünscht: „Ein Charakter handle und spreche nie über seine Welt hinaus, aber für das, was in seiner Welt möglich ist, finde er die reinste Form und den edelsten Ausdruck, selbst der Bauer" (Tagebuch vom 3. Aug. 1854).

Zusammenschluss der dramatischen Einzelmomente

Auf gemeinsamer Basis hatten sich die verschiedensten Fälle der Tatsachenvermittelung, sowie des Charakterisierens behandeln lassen. — In beiden, Tatsachen wie Charakteren, sehen wir die dramatischen Einzelbestandteile, die das vollendete Kunstwerk als Organismus zu einem Ganzen zusammenschliessen muss. Daraus ergibt sich für uns die weitere Frage, wie der Dichter diese Einzelbestandteile verschmilzt. Allgemein gesprochen dadurch, dass er sie in den Zusammenhang der Motivierung und Vorbereitung bringt. Was für das Faktum vorbereiten heisst, heisst für den Charakter motivieren. Eins muss aus dem andern resultieren; nirgends darf eine Lücke bleiben. „Dass er alles motiviere und benutze, ist die billigste Forderung, die wir an den Dichter stellen können. Ist uns ja im Leben selbst ein Faktum kaum noch ein Faktum, wenn wir nicht das Wie und Warum in inniger Verbindung anschaulich zu machen vermögen. Abgesehen noch davon, dass, wenn das Leben jegliche seiner Erscheinungen unmittelbar durch sich selbst beglaubigt, die Kunst einer Bürgschaft bedarf, die sie nur aus der Ordnung der Menschenseele und des Weltalls und der Kongruenz zwischen beiden schöpfen kann" (Tagebuch vom 3. September 37). Für Hebbel, den Vertreter der analytischen Technik versteht sich diese Forderung von selbst, und es ist bezeichnend für ihn, dass er in seiner Don Carlos-

Motivieren und vorbereiten

Rezension (Tagebuch vom 25. Dez. 43) meint, Schiller mangele „gestaltende Kraft, die den Dichter, der sie in hinreichendem Grade besitzt, gegen dergleichen Verirrungen schon durch ihre erste Eigenschaft, dadurch, dass sie, sozusagen, die Motive selbst wieder motiviert, dass sie das Nerven- und Adergeflecht nicht bloss in seinen Hauptstämmen, sondern bis zum Haargewebe herab bloss legt, schützt, . . .“ Dabei lässt er in der Motivierung der Facta und der Charaktere einen Unterschied gelten; erstere können zufälliger Natur sein, letztere müssen im letzten Sinne notwendig, müssen kosmisch bedingt sein. „Man muss im Drama das Faktum, welches den tragischen Konflikt erzeugt, hinnehmen, auch wenn es in rein zufälliger Gestalt auftritt, denn das Auffällige des Zufalls liegt eben darin, dass er sich nicht motivieren lässt. Dagegen muss in den Charakteren eine höhere Existenznotwendigkeit, als diejenige z. B. wäre, dass das Stück nicht zustande kommen könnte, wenn sie nicht diese oder jene Eigenheiten und Eigenschaften hätten, aufgezeigt werden; der Dichter muss uns in der Perspektive den unendlichen Abgrund des Lebens eröffnen, aus dem sie hervorsteigen, und uns veranschaulichen, dass das Universum, wenn es in voller Gliederung hervortreten sollte, sie erschaffen oder doch in den Kauf nehmen musste“ (Tagebuch vom 10. März 47). Gyges’ Ring kann den schicksalauslösenden Moment für drei Menschen bieten, aber ihr Los wäre auch ohne ihn ein geworfenes; es ist kosmisch notwendig. Mit gewöhnlicher ‚Verständlichkeit‘ hat eben Hebbels Motivierung nichts zu tun: „Der Verstand frage im Kunstwerk, aber er antworte nicht“ (Tagebuch vom 27. Oktober 47) und: „Viele tragen in ihre Poesie Logik hinein und meinen, das heisse motivieren“ (Tagebuch vom 8. September 37).

Was bedeuten nun aber alle diese theoretischen Forderungen praktisch für die dramatische Technik? Sie stellen ihr die schwierigste ihrer Aufgaben, sie verlangen das Eigentümlichste, was sie überhaupt leisten kann. Ein Komplex von

Tatsachen, eine Reihe von Gestalten: wie schliessen sie sich zu einem Drama zusammen? Ein Dichter kann die Gestalten und Situationen seiner Arbeit scharf umrissen vor Augen, sogar auf dem Papier haben, und doch bleibt das Ganze ein Komplex von Menschen und Dingen, wird kein Drama. Was ist das geheimnisvoll Zusammenschliessende, das ein Gebilde zu einem Organismus macht, die eigentliche Kunst dramatischer Gestaltung? Sie lässt sich analysierend am fertigen Kunstwerk aufweisen und erfassen, von vornherein in Gesichtspunkte gliedern lässt sie sich nicht oder doch nur in Form von Gemeinplätzen, die keinem mehr etwas bieten.

Umdrehen der dramatischen Momente zu einem andern Inhalt

Greifen wir darum zunächst einmal ein Beispiel für die innige Verbindung der einzelnen Momente aus dem fertigen Drama heraus: Herodes gibt bei seiner zweiten Rückkehr (Akt IV 8) in einer längeren Erzählung eine Darstellung seiner Erlebnisse. Ohne Notwendigkeit darf diese hier nicht gebracht werden, sie muss sich in den Zusammenhang einfügen. Und da ist es nun interessant, wie sich die dramatischen Momente, um dies zu erreichen, geradezu zu einem andern Inhalt umdrehen. Verfolgen wir einmal diesen Prozess! Herodes hat von Titus eine letzte Bestätigung seines Verdachtes gefordert. Titus gibt ihm diese, aber in einer Form, die nebenbei einen Vorwurf für den König einschliesst. Schon dadurch müsste sich Herodes zur Reinigung veranlasst sehen. Doch noch ehe er sich dazu anschicken kann, wird Titus' nebensächlich leise angedeuteter Vorwurf von Mariamne aufgegriffen und in ihrer bitteren Beschimpfung des Gemahls zur Hauptsache gemacht, so dass jetzt erst recht die Rechtfertigung unerlässlich geworden ist. Wir sehen, welche Wendung die Szene anfangs zu nehmen schien, und welche sie dann später nahm; wie etwas, das sie anfangs nicht enthielt, in sie einfloss und dann rasch in den Mittelpunkt rückte. So taucht ein dramatisches Motiv auf, so verschiebt es sich von der Nebensache zur Hauptsache und bringt damit etwas völlig Neues in den Zusammenhang. Hier haben wir ein Stück der festgeschlossenen Kette des Dramas aufgegriffen und die Stelle betrachtet, wo zwei einzelne Glieder in ihren Löt- und Schweissstellen sich berühren.

Die Einzelmomente in der Ensembleszene

Nach dieser Detailmusterung verstehen sich die lebhaft durcheinander spielenden Einzelmomente einer reich bewegten Ensembleszene in ihrem Zusammenhang. Wie hier die Erzählung des Herodes in den Zusammenhang des ganzen Aktes notwendig und unlösbar verkettet ist, so stehen dort die treibenden Kräfte in ununterbrochenem Folgezusammenhang, wo eins das andere bedingt und hervorruft. Die Schlussszene des ersten Aktes der „Maria Magdalena" ist solch ein Stück einer lückenlos gefügten Kette. Die Brutalität der Gerichtsdiener (vor der Erklärung dafür) gibt den Anlass zur Entrüstung des Vaters, diese zur Beschuldigung des Bruders, diese zum Tod der Mutter, dieser zu Leonhards Beiseitedrücken (Vorwand: Arzt holen), dies zu seinem späteren Brief, dieser zu Klaras Verzweiflung, diese zum Verdacht des Vaters, dieser zu Klaras Schwur usw.

Wechselndes Schicksal eines dramatischen Moments

Und nun endlich noch ein Beispiel für das wechselnde Schicksal eines grösseren dramatischen Moments. Überraschend schnell keimt im 3. Akt der „Mariamne" Herodes' Verdacht von Mariamnes Treulosigkeit ihm gegenüber empor. Auf diesen Augenblick ist in den vorhergehenden Szenen wohl Rücksicht genommen. Gewisse kleine Züge zeigen, dass des Königs Gedanken schon vorher an diesen Punkt gerührt, sich aber wieder davon entfernt haben. Verfolgen wir sie einmal: Eine hässliche Verdächtigung Mariamnes lag schon in Herodes' Wutausbruch über das verratene Geheimnis:

„Um welchen Preis erfuhrst"
„Du dies Geheimnis? Wohlfeil war es nicht!"
„Mir stand ein Kopf zum Pfand!"

Um diese gemeine Verdächtigung seines Weibes wieder gut zu machen, hatte Herodes den Schwager unbefragt in den

Tod geschickt und nach der ersten Salome-Szene, wo, wie wir uns entsinnen, diese ihre Anschuldigungen Mariamnes zurückgenommen, selbst dies ausgedrückt:

„Und wenn ich"
„Den Tod ihm geben lasse, ohne ihn"
„Vorher zu hören, so geschieht's zwar mit"
„Weil ich dir zeigen will, dass ich von dir"
„Nicht niedrig denke und das rasche Wort,"
„Das mir im ersten Zorn entfiel, bereue, — —"

Die anschliessende Szene bringt nun den jähen Umschlag in Salomes Stimmung und ihre erneute Verdächtigung Mariamnes. Und am Schluss dieses Auftritts fällt von Seiten des Königs das kurze aber inhaltschwere Wort:

„— dennoch reut mich diese Eile jetzt."

So tritt ein Moment hervor, verschwindet wieder, tritt wieder hervor und wächst dann zu breiter Entfaltung aus.

Bewusstes Ablenken um eine Wirkung zu sichern

Mitunter weiss der Dichter eine besondere Wirkung dadurch zu erzielen, dass er ein Moment vorbereitet, dann bewusst davon ablenkt und es erst dann sich verwirklichen lässt. In „Siegfrieds Tod" V. Akt wird die Auffindung seiner Leiche durch Kriemhild zuerst in deren bangen Ahnungen, darauf durch Utes bestimmtere Beobachtungen vorbereitet, dann aber durch ihre Erzählung von den schlafenden Mägden vollkommen von diesen Gedankengängen abgelenkt. So kommt die Meldung des Kämmerers unerwartet aber nicht unvorbereitet und wirkt wie eine ungeahnte Hiobspost. Auffallender noch ist diese Wirkung im Schlussakt von „Herodes und Mariamne" ausgespart, wo die morgenländischen Könige Sinn und Blick so weit fesseln, dass die Kunde von Mariamnes Tod ganz plötzlich kommt.

Mit dieser Wirkung verwandt ist eine andere, die Hebbel im Tagebuch folgendermassen charakterisiert: „Von grösster Wirkung sind im Dramatischen die zurückspringenden Motive, diejenigen, welche nur etwas Altes zu bestätigen scheinen und doch etwas ganz Neues bringen, z. B. wenn Hamlet sagt: Schlafen — Träumen — und dann plötzlich: Ja, was in dem Schlaf für Träum' uns kommen pp." (8. Oktober 39) und an einer anderen Stelle: „Von grosser Wirkung ist es im Drama, wenn die Motive auf ein ganz bestimmtes, dem Leser und Zuschauer deutliches Ziel hinzuwirken scheinen, und dann plötzlich ausser diesem noch ein ganz anderes, ungeahntes und unvorhergesehenes, erreichen. Doch wird nur dem Genie ein solcher Doppelschlag oder zurückspringender Blitz gelingen, das Talent wird da Äusserlichkeiten zu verknüpfen suchen, wo eben ein tiefstes Innerliches zu entschleiern war" (Tagebuch vom 20. Mai 43).

„Doppelschlag"

Im 3. Akt des „Gyges" ist dem Genie ein solcher Doppelschlag gelungen. Hier scheint sich das Verhältnis zwischen Kandaules und Rhodope in ungetrübter Harmonie wiederherzustellen, auf eitel Glück scheint die Szene zu zielen. In seiner Freude über den veränderten Sinn seines Weibes will der König ihr das schwerste Opfer, das sie von ihm erwarten kann, vortäuschen: seinen Günstling Gyges lässt er ziehen. Aber gerade dieser Liebesbeweis, der den Bund neu besiegeln sollte und daraufhinzuzielen schien, bewirkt nun plötzlich etwas ganz anderes „ungeahntes und unvorhergesehenes." Blitzschnell erwacht daran auf's neue Rhodopens Verdacht, nimmt bestimmte Gestalt an und verdichtet sich ihr in rasender Eile zu unumstösslicher Gewissheit.

Verschiebung der Motive während der Tat

Ähnlich wie bei dem „zurückspringenden Blitz" liegen die Verhältnisse, wenn der Dichter eine Tat durch bestimmte Motive vorbereitet und diese sich dann während der Tat verschieben. „Die Motive vor einer Tat verwandeln sich meistens während der Tat und scheinen wenigstens nach der Tat ganz anders" (Tagebuch vom 28. Oktober 39). Das klassische Beispiel dieser Motivverwandlung während der Tat bietet Judith, die aus patriotischem Interesse zu handeln glaubt und später einsehen muss, dass sie nichts trieb, als der Gedanke an sich selbst.

Geht ein dramatisches Moment unvermittelt in ein anderes über, so wird damit jene Wirkung erreicht, die ich als Umschlag bezeichnen möchte. Dieser kann dadurch bedingt sein, dass eine Gestalt, die sich bislang offen gegeben hat, plötzlich eine Maske annimmt, oder dass sie eine Maske mit der andern vertauscht. Judiths erste Begegnung mit Holofernes (IV. Akt) bietet uns ein Beispiel eines solchen Umschlags. Zuerst ‚versucht' sie ihn, indem sie den Grossen in ihm wach zu rütteln sucht, und als ihr dies nicht gelingt, geht sie unvermittelt zur bewussten Täuschung des Feldherrn über. — Plötzliche Richtungsänderungen, unvermittelte Übergänge also sind das Gebiet des ‚Umschlags'. Meist verdanken ihm jene Gipfelpunkte dramatischer Schlagkraft ihre Wirkung, wo ein treibendes Moment, eine heftige Umkehr etwa, mit reissender Schnelligkeit einsetzt. Mariamnes blitzschneller Entschluss, sich durch den König töten zu lassen, als Alexandra ihren Selbstmord verhindert (IV_3), und Krimhilds Meinungsänderung „So riet der Tronjer ab?" (I_5) gegenüber Etzels Werbung mögen in diesem Betracht noch genannt sein.

Umschlag

Hiermit sei dieser Abschnitt beendet. Zur Betrachtung unter seinem vorgezeichneten Gesichtspunkt lockt ja eigentlich jede dramatische Szene. Auch auf längeren Strecken ermüdet der etwas geübte Blick nicht: unterscheidet er erst einmal die Falten des Gewandes, dann erkennt er auch die Gliedmassen, an denen sie sich brechen.

Aktanfang und Aktschluss

Wie sich die verbundenen dramatischen Einzelmomente (deren innerer Zusammenschluss im vorigen näher erörtert wurde) äusserlich abrunden, ergibt eine Betrachtung der Aktanfänge und Aktschlüsse. Natürlich sind die Bezeichnungen Aktanfang und Aktschluss hier in etwas weiterem Sinn als gewöhnlich zu nehmen und begreifen alle jene Momente in sich, wo immer sich der Vorhang hebt oder senkt, also auch die Szenenanfänge und -schlüsse. Denn obwohl Hebbel vor häufigem Dekorationswechsel nachdrücklich warnt („mit jeder Dekorationsveränderung, jedem Szenenwechsel fängt ein Stück für das Publikum von vorn an. Das bedenke der Dichter und sei sparsam damit“ Tagebuch vom 6. Juni 46), ist er selbst zuweilen verschwenderisch damit („Genoveva“, „Agnes Bernauer“).

Aktanfang

Zunächst, wie bringt der Dichter die handelnden Personen auf die Szene? Zwei Möglichkeiten ergeben sich hier. Einmal kann die Bühne beim Öffnen des Vorhangs leer sein und dann von den handelnden Personen betreten werden. So kommen Gyges und Kandaules in vertraulichem Gespräch, gefolgt von Thoas (I_1); so betritt Rhodope mit ihren Gespielinnen ihr Gemach. Wir sehen, allgemein charakterisiert sich der Aktanfang dieser Art durch seine Ruhe und erst allmählich anwachsende Bewegung. Doch lässt er in seltenen Fällen auch andere Wirkungen zu. Golo, voll Erwartung, Angst und Ungeduld im Selbstgespräch auftretend (V_7)

gibt der Szene von vornherein gesteigerten Ton und dunkle Farbe. — Häufiger ist der andere Fall, wo die handelnden Personen beim Öffnen des Vorhangs die Szene schon betreten haben und in einer Situation oder einer Bewegung gezeigt werden. Die 11. Szene des dritten Aktes der Genoveva (Gesindestube) entrollt ein Bild,

Margareta
(sitzt am Tisch und legt Kräuter auseinander)
Golo
(lehnt starr und schweigend gegen die Wand)
Katharina (steht vor ihm),

das sich erst „nach einer langen Pause“ belebt. Ähnliche Bilder bieten Judith, Anfang des dritten, und Holofernes, Anfang des vierten Aktes. In diesen beiden letzten Fällen hat uns der Dichter gleichzeitig das entworfene Bild (hier durch die beiden Hauptleute, dort durch Mirza) erläutert. Ein ganz eigentümlich Hebbel'scher Aktanfang: der Vorhang öffnet sich und zeigt uns ein Bild; eine Person steht davor und erklärt es uns. — Aktanfänge als Bilder in reicher Bewegung bieten die Eröffnungsszene der „Judith“, die Turnierszene in „Agnes Bernauer“ das Todesmahl der Burgunder, der dritte und fünfte Akt des „Demetrius“.

Aktschluss

Dieselben Möglichkeiten wie für den Aktanfang ergeben sich auch für den Aktschluss. Wie der Dichter die Szene allmählich füllen kann, so kann er sie auch allmählich leeren, und wie die Personen zu Anfang des Aktes eine Gruppe bilden können, die sich allmählich belebt, so können sie auch am Schluss des Aktes wieder zu einer Gruppe erstarren. In „Herodes und Mariamne“ (IV_8) räumen die drei Personen, von denen die Szene getragen wird, die Bühne ganz allmählich: Zuerst entfernt sich Mariamne, dann Alexandra, zuletzt Soemus nach kurzem Schlussmonolog. Ebenso verläuft sich die Volksmenge am Ende des III. Aktes der „Judith“ ganz im Shakespeare'schen Gebrauch langsam und zögernd; ein Nachzügler spricht das Schlusswort. Nicht immer wird sich ein Szenenschluss, der scheinbar auf eine Räumung der Szene hinarbeitet, auf der Bühne so bildlos einfach geben wie bei der Lektüre. Man nehme einmal den Schluss der ersten Szene des „Gyges“ vor:

Kandaules

„So gib! Ich prüf ihn!“

Gyges

„Und ich wappne mich!“

(Beide ab.)

Liegt hier in dem Abgang der Beiden nicht noch geradezu eine Pose, ein Winken mit der Hand oder dergleichen? — Zuweilen gestaltet sich ein Aktschluss, selbst wenn Räumung der Szene vorgeschrieben ist, direkt als Bild. In der „Judith“ bedeutet der Schluss des ersten Aktes den Aufbruch des ganzen Heeres gen Bethulien. Hier ist nun keineswegs an eine Leerung der Szene im Shakespeare'schen Sinne zu denken. Der Aufbruch des Heeres gestaltet sich als Gemälde (der Abgang wird zum Bild); über dem buntbewegten Treiben, wie es der Abmarsch einer grossen Menschenmenge mit sich bringt, senkt sich der Vorhang. — Von Szenenschlüssen dieser Art findet sich leicht der Übergang zur unbewegten Gruppe, die Rhodope und Lesbia am Schlusse des III. und IV. Aktes bilden, wo der Aktschluss als ausgearbeiteter Höhepunkt den Akt krönt. Ebenso bildet die ganz kurze letzte Szene des zweiten Aktes von „Herodes und Mariamne“ einen Aktschluss, der als Gipfelpunkt aller Verwicklungen der vorhergehenden Szenen plötzlich die Ankunft dessen meldet, der sie im letzten Grunde hervorgerufen:

Alexandra (stürzt herein):

„Der König!“

Josef:

„In der Stadt?“

Alexandra:

„Schon in der Burg!“

Besonders wirksam gestaltet sich dieser Aktschluss, wenn die Darstellerin der Mariamne eine Szenenanweisung benutzt, die Hebbel gemäss seinem Brauch („Ich selbst schreibe dem Schauspieler ungern etwas vor und bestrebe mich, nach Art der Alten, ihm durch kleine Fingerzeige im Dialog selbst die Gebärden, die ich zur Begleitung wünsche, leise anzudeuten," Tagebuch vom 30. Jan. 47) in der folgenden Szene Salome in den Mund legt:

„Sie ging, als sie vernahm,"
„Dass du dich nähertest.":

bei der plötzlichen Nachricht von Herodes' Ankunft, die alle auf einen Augenblick wie versteinert dastehen lässt, rafft sich Mariamne nach kurzer Pause gewaltsam zusammen und verlässt rasch die Bühne.

Fortschritt der Handlung

Wenn in den vorigen Abschnitten der Versuch gemacht worden war, den inneren und äusseren Zusammenschluss der dramatischen Momente näher zu beleuchten, so gilt es im folgenden ein Bild davon zu gewinnen, wie der Dichter ihren ständigen Fortschritt und ihre wirksame Steigerung zeichnet.

Dieselbe Tatsache im Zustand der Ruhe und des Affekts beleuchtet

Ein oft gebrauchtes einfaches Mittel, den Fortschritt der Handlung zu verdeutlichen, besteht darin, den Charakter dieselbe Tatsache im Zustande der Ruhe und des Affektes beleuchten zu lassen. Als Beispiel dieser Technik bietet sich im 2. Akt von „Herodes und Mariamne" die Stelle, wo Salome bei dem eben heimgekehrten Bruder die Gattin der schwersten Verbrechen beschuldigt. Die Wandlung, die dabei mit Herodes vorgeht, ist dargetan an der Veränderung einer Tatsache, die er vorher arglos im Zustande der Ruhe gesehen hat und die nun im Zustande des Affektes betrachtet seinen Verdacht erregt. Anfangs hat er Mariamnes Abwesenheit als seiner Liebe günstig ausgelegt:

„Sie tat es, weil die Einsamkeit"
„Dem Wiedersehen ziemt!",

nun ist es ihm befremdend:

„Zwar — seltsam ist's"
„Das sie nicht kommt! Sie hätt' mich küssen müssen"
„Der Allgewalt des Augenblicks erliegend,"
„Und dann die Lippsn sich zerbeissen mögen,"
„Wenn das Gespenst dann noch nicht von ihr wich!"

Unfähigkeit, die Dinge, wie sie sind, zu sehen, heisst die Formel, die erwachende Leidenschaft kennzeichnet. Bot Herodes in dem geschilderten Moment ein Beispiel dafür, so liessen sich ähnliche Belege aus jedem Hebbel'schen Drama lösen. Dabei brauchen nicht alle Beispiele in der Arbeit gleich zu sein; die Formel lässt mannigfache Ausdrucksweise zu. Unfähigkeit, die Dinge an sich zu sehen ist es etwa auch, was Golos aufkeimende Leidenschaft charakteristisch färbt. Sein Zustand wird uns nun nicht an derselben Tatsache, die er nacheinander in Ruhe und Affekt beleuchtet, offenbar, sondern in der unheimlich heiss-übertriebenen Färbung, die er an sich ruhigen Vorstellungen verleiht. Man vergleiche daraufhin im zweiten Akt der „Genoveva" Golos Worte Genoveva gegenüber, z. B. die Art, wie er Gottes Verhalten bei der Heiligen Gebet schildert usw.

Aus einem Widerstrebenden einen Fragenden werden lassen

Vom Widerstrebenden zum Fragenden ist im negativen Sinne auch ein Fortschritt. Aus einem anfangs Widerstrebenden einen teilnehmend Fragenden werden zu lassen, ist ebenso ein Mittel, den Fortschritt der Handlung festzulegen. Ein Beispiel für viele sei der dritte Akt der „Genoveva", wo Katharina anfangs von Margareta nichts wissen will, und dann, nachdem diese sie zu fesseln gewusst, selbst zur Fragenden wird. Allgemein gesprochen also bietet diese letztere Technik ein Mittel, erwachende Aufmerksamkeit, rege werdende Neugier zu zeichnen.

Technik der Steigerung

Hebbels Mittel, den Fortschritt der Handlung darzutun, mögen mit dem vorigen Abschnitt erschöpft sein; nun ist es weitere Aufgabe, von seiner Technik der Steigerung eine Vorstellung zu geben. Betrachtet man bei ihm eine Szene, die eine fortschreitende Steigerung enthält, so findet man, dass diese keineswegs in dem allmählichen schrittweisen Erreichen des Ziels besteht. Ein Charakter greift bei ihm keineswegs erst nach dem Finger, dann nach der Hand. Vielmehr fasst er gleich die Hand. Das Ziel einer Entwicklungsreihe wird sofort im Anfang gegeben. Dann erst kommen für den Charakter hemmende, verzögernde Momente, Selbstbedenken, bis dann schliesslich wieder fest und sicher das gleich eingangs gegebene Ziel behauptet wird.

Formel und Beispiel Hebbel'scher Steigerung

So ist es zum Beispiel in der Schlussszene des II. Aktes von Hebbels Erstlingsdrama. Judiths Entschluss: Holofernes muss sterben! wird schon gleich zu Anfang fest in's Auge gefasst. Dann treten verzögernde Momente in Kraft, (Judith richtet ihren Blick auf Ephraim), bis schliesslich wieder gewaltsam das anfangs geschaute Ziel sich in ihren Gesichtskreis drängt und der Höhepunkt damit erreicht ist.

Hebbels Steigerung besteht somit in der Konsequenz mit der immer gewichtiger ein Standpunkt behauptet wird. Sie gründet sich nicht auf eine sich anhäufende Fülle, die erdrückend wirken soll, sondern auf die wechselnde, anschwellende Dynamik derselben Töne.

Er gibt immer eine Tatsache von vornherein, lässt einen Entschluss von Anfang an fest in der Meinung einer Person wurzeln und härtet ihn dann im Kreuzfeuer der Einwände und Gegengründe zur eisernsten Notwendigkeit. Als Beispiel dafür nehme man im V. Akt von „Herodes und Mariamne" die 6. Szene. Mariamne erklärt hier Titus gegenüber von vornherein ihren Standpunkt und behauptet ihn trotz aller seiner Bemühungen sie umzustimmen.

Oder man nehme im vierten Akt des „Gyges" die grosse Szene zwischen der Königin und dem Jüngling. Hier ist Rhodope das beharrend-vorwärtstreibende Element, an dem sich in immer heftigerem Ansturm Gyges' Einwürfe aufreiben.

Nicht immer brauchen die beiden Personen einer sich steigernden Szene so zu einander zu stehen wie hier Gyges und Rhodope oder wie vorher Mariamne und Titus. Hebbels Dramatik bietet auch Fälle, wo sich ganz ohne Zutun, vielleicht sogar wider Willen des einen Teils die Szene sich für den anderen zu leidenschaftlichster Hochflut steigert. Herodes sich selbst Mariamnes Schuld einredend trotz ihrer Warnung (III_6) und Kandaules den widerstrebenden Freund zu dem unseligen Verbrechen an seinem Weibe hetzend sind Typen dafür. In beiden Fällen resultiert die erzielte Steigerung daraus, dass ein Teil den anderen Teil missversteht, resp. nicht verstehen will. Ein Fall, wo beide Teile sich missverstehen und daraus die Steigerung sich ergibt, bietet sich in „Herodes und Mariamne" III_4: Herodes und Salome in dem fieberhastigen Bemühen sich zu verständigen und dabei doch keine Einigung findend, während die kostbare Begnadigungsfrist für Josef verstreicht.

An der festgelegten Grundformel Hebbel'scher Steigerung ändern alle diese Fälle nichts; vielmehr bieten sie eine Bestätigung für sie. Stets wird das Ziel der Steigerung von Anfang an festgelegt und konsequent behauptet. In dieser Hinsicht unterscheiden sich die geschilderten Fälle nicht.

Steigerung an einem Leitmotiv

Zuweilen drückt sich diese lediglich dynamische Art der Steigerung dadurch aus, dass derselbe konsequent behauptete Standpunkt sich in demselben Wortlaut ausdrückt. Dann steigert sich die Szene an einem Leitmotiv, das immer wuchtiger und donnerartiger anklingt. Man denke hier vor allem an Kriemhilds viermal wiederholtes: „Hagen lebt!", das man auch schon bei der Lektüre unwillkürlich dynamisch abwertet. Von ähnlicher Wirkung ist das steigernde Echo Friggas in der Schlussszene des dritten Aktes von „Siegfrieds Tod",

Brunhild:

„Frigga, mein Leben oder auch das seine!"

Frigga:

„Das seine, Kind!"

Brunhild:

„Ich ward nicht bloss verschmäht,"

„Ich ward verschenkt, ich ward wohl gar verhandelt!"

Frigga:

„Verhandelt, Kind!"

Brunhild:

„Ihm selbst zum Weib zu schlecht,"

„War ich der Pfennig, der ihm eins verschaffte!"

Frigga:

„Der Pfennig, Kind!"

Brunhild:

„Das ist noch mehr als Mord,"

„Und dafür will ich Rache! Rache! Rache!"

Herodes' effektvoller Refrain: „Wir sprechen hier vom Möglichen" (I 3) und endlich Kaspar Bernauers kräftige Antwort an Törring (II 7 u. 8), wo er (wie Heinrich V. die Federbälle) die ihm gebotene spöttische Rede des Ritters als Leitmotiv benutzt, um ihm gründlich heimzuleuchten, bieten weitere Belege.

Der Stimmungsgehalt der Szene

Ausser einem tatsächlichen Gehalt und einer Reihe von Charakteren übermittelt uns jede Szene einen gewissen Stimmungsgehalt, zu dessen Erzielung sich ebenfalls bestimmte Kunstmittel nachweisen lassen. Dazu gehören in erster Linie die Mittel, durch die man den Ton der Szene verstärkt oder abdämpft.

Mittel den Ton der Szene zu verstärken oder abzudämpfen

Ein technischer Kunstgriff, den Ton einer Szene zu verstärken, besteht etwa darin, ihren Tatsachen gravierende Wirkungen zu sichern. Durch grosse Folgen können die Tatsachen selbst erhöht werden. So gewinnt die Volksszene im dritten Akt der „Judith" ihren ernsten, düsteren Gehalt mit dadurch, dass es sich in den Redekämpfen, die dort ausgefochten werden, nicht bloss um einen zu verteidigenden Standpunkt handelt, sondern, dass Leben und Tod der einzelnen davon abhängt. So erhält die Schlussszene des ersten Aktes der „Maria Magdalena" ihre tragische Weihe durch den Tod der Mutter, der das Verhalten aller modifiziert und es bedeutender, gewichtiger macht: die Roheit der Gerichtsdiener erscheint dadurch noch dreifach grösser, Leonhard weit feiger, Clara weit ‚schuldiger' usw.

Gravierende Wirkungen

Modifikation des Affektes einer Person durch das Verhalten einer andern Person ihr gegenüber

Abwechselnder sind die Mittel, die der Dichter zur Dämpfung einer Szene anwendet. Die Wirkung des Affektes einer Person auf den Zuschauer kann er einmal durch das Verhalten einer andern Person ihr gegenüber abschwächen. Warum wirken Salomes Ausbrüche und Anklagen („Herodes und Mariamne" V 1) auf den Hörer nicht überzeugend? Weil

Herodes' Verhalten gegenüber ihren Übertreibungen viel zu ruhig und leidenschaftslos ist, weil wir ihn von ihren Worten viel zu wenig getroffen sehen. So kommt es, dass auch wir allen ihren Beteuerungen und Schwüren nur geringe Bedeutung beimessen.

Mittelbare Tatsachen-vermittelung

Eine andere Art, die Szene zu dämpfen, stellt sich in der mittelbaren Tatsachen-Vermittelung (statt der unmittelbaren) dar, wie sie etwa in dem Erraten des einen Teils durch den andern gegeben ist. Prüft man beispielsweise, was den verhaltenen, gedämpften Ton der Schlussszene des II. Aktes in „Gyges und sein Ring" bedingt, so ist es die Tatsache, dass dort der Jüngling sein Liebesgeständnis nicht in leidenschaftlichem Ausbruch selbst offenbart, sondern es durch den Freund erraten lässt. Aus Gyges' Worten schliesst der König nach und nach, wie es um den Jüngling steht, und aus diesen Schlüssen des Kandaules wird dem Hörer klar, was eigentlich Gyges zu sagen hätte.

Ein Teil spielt die Rolle des andern um eigenes auszudrücken

Ein drittes Mittel, die Szene zu dämpfen, lernen wir ebenfalls in „Gyges und sein Ring" kennen. Es besteht darin, den einen Teil die Rolle des andern übernehmen zu lassen, um eigenes zu sagen, wodurch der Gefühlsausdruck verhaltener und gemässigter erscheint. Im vierten Akt, als Gyges Rhodope zum erstenmal gegenüber tritt, sinkt er ihr in heisser Liebe zu Füssen. Nun lässt der Dichter hier den Jüngling *seine* Worte *Kandaules* unterlegen, lässt ihn in seiner Phantasie sich als Kandaules träumen, lässt ihn gleichsam dessen Rolle vor der Königin spielen, obwohl ja alles, was er tut und sagt, aus seiner innersten Brust kommt. Durch diesen Kunstgriff verlieren die heissen Liebesworte des Frevlers für das entehrte Weib alles Verletzende, jegliches Abstossende wird ihnen durch diese Dämpfung genommen.

Wie die Dämpfung einer Szene ihr einen beruhigenden, weicheren Ton verleihen kann, so kann sie ihr auch einen peinlich grauenhaften Charakter geben. Man vergleiche etwa im V. Akt der „Genoveva" die Szene, wo Golo mit den beiden Knechten den Mord der Heiligen beredet. Hier scheut sich jeder davor, das Letzte laut werden zu lassen, aber diese Scheu hat nichts Beruhigendes, sondern etwas Fürchterliches an sich, denn es ist nicht das Schweigen des Zartgefühls, das zwischen den Dreien gewahrt wird, sondern das Schweigen des stummen Einvernehmens, als dessen gelegentliches Lautwerden ihre kurzen Reden erscheinen. Wie peinlich berührt es, dass sie, während sie über die Hauptsache schweigen, das Nebensächlichste bis in's kleinste streifen! Als stände sie schon ausser aller Frage, und nur noch Nebendinge bedürften der Klarstellung.

Abdämpfen der Szene das Grauen erhöhend

Noch weitere Stimmungsmittel ausser dem eben skizzierten lernt uns dieser letzte Akt der „Genoveva" kennen. So beispielsweise das Messen des Grauens an dem kleinen alltäglichen Interesse, wenn Balthasar auf dem Weg zu Genovevas Hinrichtung nach der Bärengrube sehen will. (Klara mit dem Tischzeug eintretend in dem Augenblick, da die Gerichtsdiener sich an die Untersuchung machen, fällt einem dabei ein). Oder der peinlich wirkende juristische Ton bei der Verkündigung des ungerechten Urteils über die Heilige, ein Kunstmittel, das wir auch in „Egmont" und „Maria Stuart" angewandt sehen.

Messen des Grauens an dem Alltäglichen

Juristischer Ton bei ungerechter Verurteilung

Phantastische und wunderbare Elemente sind seit alters dem Dramatiker ein beliebtes Mittel zur Erhöhung der Stimmung einer Szene. Wie Hebbel über deren Verwendung denkt, lehrt eine Tagebuchnotiz vom 11. März 47: „Wie weit gehört das Wunderbare, Mystische in die moderne Dichtkunst hinein? Nur soweit es elementarisch bleibt d. h. die dumpfen ahnungsvollen Gefühle und Phantastereien, auf denen es beruht, und die vor etwas Verstecktem, Heimlichen in der Natur zittern, vor einem ihr innewohnenden Vermögen, von sich selbst abzuweichen, dürfen angeregt, sie dürfen aber nicht zu konkreten Gestalten, etwa Gespenster- und Geistererscheinungen verarbeitet werden, denn dem Glauben an diese ist das Weltbewusstsein entwachsen, während jene Ge-

Phantastische und wunderbare Elemente

Träume und Ahnungen

fühle selbst ewiger Art sind." — Träume und bange Ahnungen sind demnach im Drama zulässig. Hebbel verwendet sie die ganze Zeit seines dramatischen Schaffens hindurch und weiss damit mitunter höchste Wirkungen zu erreichen. Greife man nur den packendsten Moment dieser Art heraus, die Traumerzählung Mariamnes vor dem Spiegel (Ende des 4. Aktes), wo die düstere Ahnung immer bezwingender und hypnotischer uns packt und schliesslich zur Wahrheit wird. — Die an phantastischen Elementen reiche „Genoveva" verwendet noch die nach unserem Dichter unzulässigen,

Erscheinungen

konkreten Gestalten. Möglich, dass er, da er die „Genoveva" schuf, noch nicht zu jenem Bekenntnis des Jahres 47 herangereift war, möglich aber auch, dass er alte Elemente der Legende nicht ausschalten wollte.

Akustische Abschattierungen

Als ein weiteres nicht unwichtiges Stimmungsmittel der Hebbel'schen Dramatik seien die akustischen Abschattierungen der Szenen genannt, der wirkungsvolle Wechsel von mächtigem, leidenschaftlichem Ausbruch und stiller Wehmut, dumpfem Röcheln und durcheinanderjagendem Stimmengewirr. Man denke etwa an die akustische Abtönung eines Momentes, wie er sich in Akt II Szene 5 der „Genoveva" findet: Die grelle, heisere Stimme des verfolgten Juden ist kaum verhallt, das hetzende Gesinde hat sich nach und nach verzogen, Golo allein bleibt zurück:

„Die ew'ge Lampe brennt noch ruhig fort!"
„Man sieht sie heller, weil es dunkler wird"
„Kommt das vom nahen Abend, oder will"
„Die Sonne nicht mehr leuchten über uns?"

Tiefe, volle Klänge, gegenüber dem Schreien der erregten Volksmenge und dem Röcheln des sterbenden Juden, Töne, nach dem schwülen Anprall kämpfender Dissonanzen. — Ferner im selben Drama die 14. Szene des dritten Aktes: auch eine Abwertung der Töne, die ihresgleichen sucht. Die teuflische Versucherin hat ihr Gift Golo ins Ohr gegossen, unruhig schreitet er auf und ab, da versammelt sich gemächlich das Gesinde zu seinem Vesperbrot, allen voran Konrad mit seinem behaglich-platten Abendlied.

Ein anderer Moment akustischer Wirkung: Judith vor Holofernes, alle Mittel aufwendend in ihm den Grossen zu wecken, in sich steigerndem Enthusiasmus mächtig ausklingend, die halbe, dumpfe, ablehnende Antwort des Feldherrn und als Entgegnung das grelle, wilde Hohngelächter der Hebräerin, das den Umschlag ihrer Stimmung zu der bewussten Täuschung des Holofernes kennzeichnet.

Dem akustisch-musikalischen Stimmungsmittel reiht sich ungezwungen das malerisch-plastische an.

Malerisch-plastische Wirkungen

In Augenblicken, da Judith vor dem Hintergrund der entflammten Volksmenge schirmend vor das Haupt des Holofernes tritt, es vor den Verhöhnungen der Menge zu schützen: „Dies Haupt soll sogleich begraben werden“ oder da sie sich mit Ekel von den Davonstürmenden wendet: „Das ist Schlächtermut“ hat der Dichter unmittelbar bildliche Wirkung, vielleicht ganz ohne Absicht, erreicht. Bewusste Arbeit auf das Bild ist es dagegen etwa, wenn zu Mariamne gerade in dem Augenblick, wo sie sich eine letzte Hoffnung erträumt, stumm mahnend der Henker tritt, oder wenn Golo (V_7) beim Öffnen der Augen Balthasar mit dem blutigen Schwert vor sich sieht. Fast ein symbolisches Bild könnte man den Schluss von „Herodes und Mariamne“ nennen: Der König, nachdem er den Befehl zum Bethlehemitischen Kindermord gegeben hat, wie ein gefälltes Wild zusammenbrechend. —

Glückliche Kontrastwirkung im Gestus, bedeutsame Gebärdenabtönung ergibt sich zuweilen in den Szenenbildern. Man halte gegenüber der schäumenden Wut des Herodes die hoheitsvolle, königliche Art, in der Mariamne und Soemus, zwei Parallelfiguren, sich zum Gericht führen lassen (Ende des IV. Aktes). Hier, wie in der Gerichtsszene selbst, sagt der Kontrast im Gestus ebensoviel wie der Kontrast im Wort.

Verhältnis des dramatischen Charakters zu dem Zuschauer

Der Charakter tritt dem Zuschauer entweder in seiner wahren Gestalt oder unter einer angenommenen Maske entgegen. Im letzten Falle ergibt sich für den Dichter die Aufgabe, uns den wahren Charakter seines Helden zu enthüllen. Die Mittel, die sich ihm dazu bieten sind Beiseitesprechen, vorausgeschickte Erklärung, nachgeschickte Erklärung, Übertreibung der angenommenen Rolle.

Zunächst einige Belege hierfür. Judith spielt im 4. Akt Holofernes gegenüber nacheinander zwei verschiedene Rollen; zunächst ‚versucht' sie Holofernes, versucht das in ihm schlummernde Edle zu wecken, dann lenkt sie zur bewussten Täuschung über und gaukelt ihm Verrat an den ihrigen vor. Die erste Rolle wird dem Hörer durch ein aufhellendes Beiseitesprechen der Hebräerin erklärt; sie wendet sich ab und spricht: „Ich will ihn versuchen." Nicht so die zweite Rolle, die sie spielt. Hier lässt uns der Dichter selbst auf Augenblicke an Judith irre werden, lässt uns wie Mirza an ihrer Gesinnung zweifeln und löst uns die Bedenken erst mit der Aufklärung, die sie am Schlusse der treuen Magd zukommen lässt. Dies Durchführen eines Planes ohne Rücksicht auf den Zuschauer mit nachgeschickter Erklärung stellt ein weit wirkungsvolleres Mittel dar, verborgene Absichten zu enthüllen als das landläufige Beiseitesprechen. Der Hörer wird hier

Plan durch Beiseitesprechen erklärt

mit der einen Partei identifiziert, er ist wie sie der Getäuschte. Er folgt zunächst erstaunt, befremdet dem Charakter, den er erfasst zu haben vermeinte und der sich nun ganz anders darzustellen scheint, seine Spannung wird auf's Höchste erregt, er hört die ungewohnten Worte, traut ihnen halb, wagt dann nicht ihnen zu glauben, bis endlich nach diesem Sturm von Zweifeln, die befreiende Gewissheit ihn erlöst.

Plan durch nachgeschickte Erklärung aufgedeckt

Der umgekehrte Fall des eben skizzierten ist der, wenn der Zuschauer nicht der durch den Plan Mitgetäuschte, sondern der Mitwisser des Geheimnisses ist; wenn die Aufklärung nicht nach der Ausführung des Planes, sondern vor derselben uns gegeben wird. Dann kann der Hörer mit beobachten, wie der eine Teil in das ihm vom andern gestellte Garn geht, während er im ersten Falle selbst mit der Genasführte ist. Diese Technik, vor allem den Shakespeare'schen Helden mit planvollem Vorgehen (Hamlet, Jago) eigen, findet sich bei Hebbel etwa in dem planmässigen Vorgehen Herodes' gegen Josef (Akt I_5), das vorher beschlossen, in seinen Wirkungen vorausberechnet und dann erst ausgeführt wird.

Plan mit vorausgeschickter Erklärung

Als eine dritte Möglichkeit, uns versteckte Absicht aufzudecken, bleibt dem Dichter der unfreiwillige Selbstverrat. Dieser kann sich zunächst einmal in der Übertreibung der eigenen Rolle, in der auf die Spitze getriebenen Manier äussern. Kandaules, bemüht seinem Weibe seinen Zweifel zu nehmen und ihr dabei Falsches vortäuschend, ist in diesem Bemühen, alle Bedenken zu zerstreuen, so fieberhaft geschwätzig, dass er geradezu solche zerstreut, die noch garnicht ausgesprochen sind. Er ist dabei so eifrig geschäftig, dass er eigentlich bekräftigt, was er aus der Welt schaffen möchte. — Ein anderes Mittel, uns über den verborgenen Gedanken eines Charakters aufzuklären, besteht darin, ihn unwillkürlich aus ihm brechen zu lassen, obwohl er sich vielleicht gerade vorgenommen hat, von etwas anderem zu sprechen, ihn immer wieder ohne Wissen und Willen auf das zurückkommen zu

Selbstverrat

lassen, wovon er ablenken möchte. Man vergleiche daraufhin im zweiten Akt des „Gyges“ in der Szene zwischen dem Griechenjüngling und Lesbia die Stelle, wo Gyges alle seine Äusserungen auf Rhodope bezieht, selbst, wenn er von ‚etwas anderem‘ sprechen möchte:

Gyges

„Sprich mir von ihr!“

Lesbia

„Von ihr!“

Gyges

„Ich meine nur!“ —
„Von etwas andrem, wenn Du willst! Vom Garten,“
„In dem sie wandelt, oder von den Blumen,“
„Die sie am liebsten pflückt! Auch von Dir selbst!“
„Ich hör’ es gern! Worin seid ihr euch gleich?“
„Sag’s rasch, damit Du rasch mir teuer wirst!“
„An Wuchs? Nicht ganz! Noch minder an Gestalt!“
„Doch dafür ist das Haar Dir schwarz wie ihr,“
„Nur nicht so voll — ihr kriecht es um’s Gesicht“
„Herum, wie um den Abendstern die Nacht!“

Doppelsinnige Worte

Aus der versteckten wahren Gesinnung eines Charakters resultieren notwendigerweise eine Reihe von Worten, die doppelsinnig sind und von ihm in tieferem Sinne aufgenommen werden als von dem Gegenspieler. Auch diese Technik kann zu besonderen Wirkungen gebraucht werden. Die bedingende Art, in der Josef sich an Mariamnes Wort hält (II_5), was in öfterer Wiederholung den Verdacht der Maccabäerin erregt, beruht darauf. Hier geniesst der Zuschauer das Vergnügen, die Verhältnisse auf das genauste zu kennen und also den doppelten Sinn, den beide Spieler in dasselbe Wort legen, zu durchschauen.

Spieler und Gegenspieler als Opfer eines Plans

War in den bis jetzt erörterten Fällen stets der eine Teil das unwissende Opfer eines planvollen Vorgehens des anderen, so weist Hebbels Dramatik auch Szenen auf, wo Spieler und Gegenspieler, ohne es zu vermuten oder zu wollen, nach der Berechnung eines Dritten handeln. „Herodes und Mariamne“ IV $_2$ bietet ein Beispiel dafür: Der freigelassene Pharisäer und Mariamne einander gegenüberstehend, eines in falscher Meinung über das andere befangen. Hier haben wir einen Fall, wo die ausführenden Glieder eines Planes diesen selbst nicht kennen und unbewusst von einem Dritten (Soemus) gelenkt werden; Spieler und Gegenspieler haben so Gelegenheit, sich gegenseitig des Rätsels Lösung abzufordern, ohne dass einer den andern befriedigen kann.

Bewusste Selbsttäuschung

Endlich noch ein Fall, wo der Dichter einen Charakter sich selbst in bewusste Täuschung versetzen lässt: Judiths Betragen unmittelbar nach ihrer grausen Tat. Sie will ihre Augen und Ohren allen Eindrücken verschliessen und mit überlautem Siegesjubel Mirza und die heranschleichende eigene Ungewissheit betäuben. Wir sehen, ein Mittel, die letzte Steigerung eines seelischen Zustandes auszudrücken, einer bis zur Grenze des Wahnsinns gesteigerten Angst, einer Verzweiflung, die keinen höheren Grad mehr kennt (Vgl. etwa auch das Betragen des Erbförsters an Mariens Leiche).

Szenentechnik hinsichtlich des Verhältnisses der Personen unter sich

Für die Szene monologischen Charakters kommt diese Frage nicht in Betracht, desto wichtiger aber ist sie für die von mehr als einer Person getragenen Auftritte des Dramas.

Die dialogische Szene

Mit der streng dialogischen Szene ist einzusetzen. Hier kann allgemein gesprochen das Verhältnis der beiden Personen ein koordiniertes oder subordiniertes sein, je nachdem eine von ihnen oder beide zugleich die Handlung führen. In subordiniertem Verhältnis steht zumeist die Nebenperson zu dem Hauptcharakter, namentlich wenn es gilt, diesen als alleinstehend, alles überragend herauszuheben. Holofernes im Verkehr mit seiner Umgebung ist so gezeichnet. In den Eröffnungsszenen des ersten Aktes sticht er scharf isoliert unter den anderen Gestalten heraus, die ihm völlig untergeordnet sind. Er bleibt ständig im Vordergrund des Interesses, während alle anderen eigens für ihn erfunden scheinen: sie teilen mit ihm nur so lange die Szene, als sie ihm Gelegenheit geben, sich in einer neuen Eigenschaft zu zeigen. Eine Szene mit subordinierten Figuren ist etwa auch die zwischen Rhodope und Lesbia, Ende des 3. Aktes, wo Lesbia lediglich Folie für Rhodope ist, wo sich die furchtbar verändernde Wirkung des inneren Erlebnisses auf die Königin im Kontrast zu der anmutigen Freundin offenbaren soll. Subordiniert sind auch die Personen, wenn eine von ihnen eine längere Erzählung zu geben hat, und der andere Teil rein aufnehmend sich verhält und allenfalls durch Fragen eingreift. Freilich ist gerade dieser Fall sehr sorgfältig zu prüfen und so formuliert nur bedingt richtig. Es kommt eben nicht darauf an, dass dem berichtenden Teil der Hauptanteil am Dialog zufällt, sondern darauf, dass er wirklich das führende, treibende Moment in der Szene darstellt. Herodes, Joabs Bericht entgegennehmend (I 1), kommt ihm gegenüber im Dialog zu kurz und ist doch aus dem eben genannten inneren Grund die ihm übergeordnete Person. Dagegen führt Gyges die Szene, wenn er Kandaules von der Herkunft des wunderbaren Ringes berichtet (I 1). —

Koordiniert sind fast stets zwei Figuren in einer dramatischen Hauptszene, wo sie beide gleichmässig an der Führung der Handlung beteiligt sind, etwa Kandaules und Rhodope in der Hauptszene des dritten Aktes, Judith und Holofernes, Herodes und Mariamne in ihren Hauptszenen. Hier haben beide Träger der Szene gleichen Anteil an dem Fortschritt der Handlung, jede Rede bedingt ihre Gegenrede, jede Frage ihre Antwort.

Die Szene mit drei Figuren

Eine Szene mit drei Figuren kann auch aus lauter koordinierten Figuren bestehen. Eine solche ist beispielsweise in ‚Herodes und Mariamne' die 4. Szene des zweiten Aktes zwischen Alexandra, Mariamne und Josef. Hier stehen alle drei Figuren völlig allein, jeder ist gegen jeden, keine Annäherung findet zwischen den Figuren statt.

Häufiger ist der Fall, wo zwei Personen die Hauptträger der Szene werden und die dritte zu der einen oder der andern in ein untergeordnetes, begleitendes Verhältnis tritt. Dafür bietet die 4. Szene des III. Aktes von „Herodes und Mariamne" ein Beispiel, wo Salome und Herodes eigentlich die Szene führen und Mariamne der Schwägerin begleitend beitritt. Hier haben wir also zwei Figuren einander koordiniert und die dritte zu einer davon in einem Abhängigkeitsverhältnis. Eine weitere Möglichkeit ist dadurch gegeben, dass zwei Figuren sich parallel der dritten unterordnen. Die Eröffnungsszene des vierten Aktes der „Judith" zwischen

Holofernes und seinen beiden Hauptleuten bietet dafür einen Beleg. Ein letzter Fall, 3 Figuren anzuordnen, wird dadurch bezeichnet, dass ein zweiseitig Beschäftigter zwischen zwei einseitig Beschäftigten steht, die ihrerseits gar nicht in Verbindung treten. Diese Personenstellung lässt sich in der 6. Szene des III. Aktes von „Herodes und Mariamne" beobachten, wo Herodes Antonius' Boten empfängt. Hier steht der König zwischen dem Boten und seinem Weib, wechselweise mit dem Boten unterhandelnd und sein Weib beobachtend, zwischen denen sich keinerlei Verkehr anbahnt.

Technik der Ensembleszene

Die Ensembleszene lässt hinsichtlich der Personenstellung mehrere Möglichkeiten zu. Einmal kann hier eine Gestalt dominierend in den Mittelpunkt treten, um die sich die andern wie um ein Zentrum bewegen. Diesen Charakter trägt die Audienzszene von „Herodes und Mariamne," wo der König alle einzelnen heranzieht, ohne dass sich zwischen diesen ein Verkehr herstellt; die Audienzszene ist also geradezu (eben gemäss dem Charakter der Audienz) in eine Reihe von Einzelszenen des Königs und seiner Untertanen aufgelöst. Noch ganz andere, hoch gesteigerte, reich bewegte Wirkungen lässt diese Personengruppierung zu. „Herodes und Mariamne" IV$_8$ bietet ein Beispiel dafür. Der Wechsel von Schmerz und Wut, der den König ob Soemus' Verrat und Mariamnes Verbrechen befällt, hat der Dichter charakteristisch und glücklich dadurch zu treffen gewusst, dass er ihn allein in der Mitte stehen und sich in rascher Wendung bald an Titus, bald an Mariamne, bald an Salome wenden lässt:

„Ja! Ja! Mein Titus,"
„Hätt'st Du den Mann gekannt, wie ich — —"
„— Du würdest schäumen, knirschen"
„Und wütend sprechen:
(gegen Mariamne) Weib, was tat'st Du alles,"
„Um den so weit zu bringen? — Salome"
„Du hattest recht, — —"

(gegen Mariamne)

„Dü schweigst? Du hüllst Dich noch in Deinen Trotz?"
„Ich weiss warum! Du hast's noch nicht vergessen,"
„Was Du mir warst! Auch jetzt noch riss ich leichter"
„Das Herz mir aus der Brust — Titus, so ist's! —"
„Als (wieder zu Mariamne) Dich mir aus dem Herzen!"

Ein wirkliches Ensemblezusammenspiel stellt sich dann her, wenn alle Personen gleichgeordnet sind und sich gleichmässig an der Handlung beteiligen. Ein solches kommt zum Beispiel vorübergehend in Akt II, Szene 5 von „Herodes und Mariamne" zwischen Mariamne, Alexandra, Josef und Titus zu stande (Vers 1212—1220). Hier ist jeder in irgend einer Weise an der Handlung interessiert, gibt diesem Interesse Ausdruck, und diesem lebhaften Durcheinanderspielen entspringt die reichbewegte Szene. Ebenso bietet die Gerichtsszene im „Diamant" ein klassisches Beispiel für eine wirkliche Ensembleszene.

Technik der Massenszene

Die Technik der Hebbel'schen Massenszene ist je nach der Aufgabe, die der Dichter durch eine Masse lösen lässt, verschieden. Solange er das Milieu durch die Masse darstellt, ist sie in Gruppen scharf umrissener Gestalten aufgelöst. Das beste Beispiel dafür bietet die erste Hälfte der grossen Massenszene im dritten Akt der „Judith." Streng gezeichnete Charakterköpfe ziehen hier an uns vorüber, deren Physiognomie uns die verschiedenen Stadien seelischer Erschlaffung und Erregung, gepaart mit körperlicher Entbehrung (Wirkung der Belagerung der Stadt), wiederspiegelt. Dabei können solche Gruppen streng geschlossen an uns vorüberziehen wie die Gruppen des Spaziergangs im „Faust," sie können aber auch einen freieren Charakter tragen, können sich vereinigen, sich ineinander auflösen (wobei oft eine alte den Grundstock zu einer neuen, grösseren bildet) und schliesslich in anderer Zusammensetzung wieder trennen. So haben wir in der Tanzhaus-Szene der „Agnes Bernauer" ein Beispiel dafür, wie zwei Gruppen von je 3 Personen zusammenstossen und sich als drei Gruppen von je zwei Personen wieder trennen (I 18). —

Eine andere Technik der Hebbel'schen Massenszene ist durch eine andere Wirkung, die der Dichter damit erzielen will, bedingt. Soll die Masse nur einer bewegten Handlung verstärkende Resonnanz geben, so wird ihr die selbständige Rolle genommen, die Gruppen lösen sich, und die scharf unterschiedenen Gestalten verblassen zu Köpfen eines Chors. Für diese Technik bietet die Massenszene im dritten Akt der „Judith" in ihrer zweiten Hälfte ein Beispiel, wo die Menge ein geschlossenes Ganzes bleibt, das die Handlung chormässig begleitet.

Übergang von Gruppen- zu Ensembletechnik und umgekehrt

Als das Charakteristikum einer echten Ensembleszene war gleiche Beteiligung aller Personen an dem Zusammenspiel festgestellt worden. Gleiche Beteiligung aller Personen setzt natürlich einen Gegenstand von gleichem Interesse für alle voraus. Nun bieten sich beachtenswerte technische Ergebnisse, wenn man etwa Szenen vornimmt, in denen sich ein Wechsel von Gruppentechnik zu Ensembletechnik oder umgekehrt vollzieht, beispielsweise die fünfte Szene des II. Aktes in „Herodes und Mariamne." Hier haben wir anfangs die getrennten Gruppen Titus-Josef und Alexandra-Mariamne. Sobald nun der Punkt gekommen ist, der alle Spieler interessiert (Josef: „Sprich laut!") werden die Gruppen aufgelöst, und ein echtes Ensemble kommt zu stande. Doch nur für kurze Zeit, denn sobald mit Titus' Abgang der spannende Moment vorüber ist, löst sich das Ensemble auf, und die Szene spielt sich in Gruppen zu je zwei weiter. Wir sehen, eines spannenden, erregenden Mittels bedarf es, um getrennte Gruppen plötzlich zu einigen. Wenn kurz vor Schluss des dritten Aktes der „Judith" Delia plötzlich unter die wie erstarrt knieende Volksmenge tritt und den Ausgang des Wunders berichtet, so ist es natürlich, dass sich der bezwingende Bann, der auf allen liegt, löst, und dass die tote Gruppe, gleichsam gesprengt, in lebhaft bewegte Einzelgestalten auseinanderbricht.

Hebbels Bühnenblick

Interessante Beobachtungen über Hebbels Bühnenblick ergeben sich, wenn man Szenen mit wechselnder Gruppen- und Ensembletechnik hinsichtlich ihrer Komposition für die Bühne durchmustert. Wie scharf geschaut etwa in „Herodes und Mariamne" IV 3 der Wechsel von der Gruppe Alexandra-Mariamne zur Gruppe Soemus-Mariamne ist, deuten die Anweisungen des Dichters. Die alte Königin hat sich zurückgezogen, nachdem ihr Bemühen, die Tochter für sich zu gewinnen, gescheitert ist; dann heisst es von Mariamne:

(Sie tritt vor).

„Herodes zittre jetzt"

„Und wenn Du niemals noch gezittert hast!"

Soemus (tritt zu ihr heran).

„Ich fühle Deinen Schmerz wie Du!"

Vor unseren Augen löst sich also die alte Gruppe auf, und eine neue bildet sich. — Oder man denke daran, wie virtuos in der Schlussszene der „Judith" die Bühne ihrer ganzen Tiefe und Breite nach ausgenutzt ist: Achior mitten in der Menge, das Geheul der Feinde von aussen, die Wachen auf der Stadtmauer, Ephraim unter'm Tor: alles Zündschnuren, die von verschiedener Richtung her laufen und sich in der erregten Volksmenge treffen. Ähnlich virtuos ist im 3. Akt des „Demetrius" die Bühnentiefe ausgenutzt: im Vordergrund die Volksmenge, im Hintergrund der Krönungszug, dann der Vordergrund mit dem Hintergrund in Verbindung tretend, Barbaras Sturz, Demetrius und Barbara, später die Bojaren usw. — Mitunter sucht der Dichter seine Kenntnis des Bühnenraums zur Erzielung bestimmter Wirkungen zu verwerten. So hat er gegen Ende des dritten Aktes der „Judith" in der Verteilung der Personen auf der Bühne ein Mittel gefunden, eine Gestalt durch völlige Isolierung bedeutsam herauszuheben. Die Aufmerksamkeit des Zuschauers ist mit der des hebräischen Volkes auf den Hintergrund gerichtet, wo eben Judith die Stadt verlassen hat; ergriffen ist die ganze Volksmenge in die Kniee gesunken; da tritt als einziger Ephraim vor und spricht sein Schlusswort. Das äussere Bühnenbild mit der günstigen Personengruppierung (alle dem Hintergrund nahe knieend, Ephraim allein im Vordergrund stehend) hebt hier durch seine Anlage Ephraims Gestalt nachdrücklich heraus, weist gleichsam auf sie hin.

Der Dialog

Auf subjektiver Befangenheit des Individuums beruht, wie jede dramatische Wirkung, im Grunde genommen auch jeder Dialog; irgend etwas Gegensätzliches muss in den beiden Figuren, die ihn führen, vorhanden sein. — Wie steht es nun in dieser Hinsicht mit Szenen, wo die Personen in subordiniertem Verhältnis stehen, wo die eine Person Begleiter der andern ist? Hier kann sich der Dichter zum Beispiel dadurch helfen, dass er künstlich einen Gegensatz schafft. Eine blosse Erzählung (vgl. den Abschnitt über die dramatische Erzählung), bei der sich ein Teil lediglich anhörend, begleitend verhält, erwächst keinem Gegensatz und bietet dementsprechend auch keine, unser Interesse fesselnde dramatische Dialektik. Nehmen wir einen Moment, wo sich ein solches Verhältnis herstellen könnte. In der zweiten Hälfte Szene 1 des zweiten Aktes von „Herodes und Mariamne" gilt es für Alexandra, Sameas mit den Neuerungen, die Herodes in Judäa einführen will, bekannt zu machen. Wie ist nun hier eine undramatisch wirkende Erzählung vermieden? Der eine Spieler, der etwas zu berichten hat, versucht den Partner durch Fragen in seine Gedankengänge zu führen, indes gelingt es ihm trotz mehrfacher Bemühungen nicht. Dadurch ist künstlich ein Gegensatz geschaffen, der die zur Behebung desselben gegebene Erzählung mit Sicherheit dramatisch wirken lässt.

Künstliches Schaffen eines Gegensatzes

Ungezwungen wird der dramatische Dialog Szenen mit koordinierten Figuren entspringen, denn nichts anderes bedingt die dramatische Nebenordnung der Figuren als gleichkräftige Gegensätze; in diesen aber wurzelt jeder lebhafte Dialog. Dabei können die Figuren, in denen sich der Dialog bewegt, noch in manchem Betracht verschieden sein. Die spezifische Dialogfigur der Hebbel'schen Steigerung ist, da ja das Wesen der letzteren in der Dynamik beruht, die der parallelen Linien. Die Personen verändern ihren Standpunkt nicht, sie behaupten ihn nur immer energischer und nachdrücklicher, aber sie bleiben dabei in der einmal gegebenen Entfernung, und weder eine Annäherung, noch ein schrittweises Entfernen findet dabei statt. — Daneben kennt der Dichter in Szenen, die nicht gerade spezifisch eine Steigerung ausdrücken, die konvergierende Dialogfigur. In letzterer bewegt sich etwa die Annäherung Soemus' und Mariamnes im vierten Akt von „Herodes und Mariamne." — Divergierender Dialog ist nicht Hebbel'sch. Der einzige Platz, wo er stehen könnte, ist die sich steigernde Szene, und hier ist Hebbels Dialog parallel verlaufend, seine Wirkung auf die wechselnde Dynamik gründend.

Dialogfiguren

Dialogfiguren der Steigerung

Konvergierender Dialog

Eine äusserst wirksame Dialogfigur, die sich nicht unter die bis jetzt geschilderten einordnen lässt, aber auch eine mathematische Veranschaulichung zulässt, bietet ein Augenblick aus dem 4. Akt der „Mariamne." Die Königin, die eben das erneute Verbrechen ihres Gatten an ihr erfahren hat, sucht sich in ihrem Schmerz das Leben zu nehmen. Alexandra, sie daran hindernd, will sie bestimmen, sich in der Römer Schutz zu begeben; Mariamne schleudert den Dolch von sich, aber nicht auf Geheiss der Mutter, sondern weil ein neuer Plan blitzschnell in ihr aufgetaucht ist. Dass in dem Augenblick des höchsten Affektes eine Person die andere Person zu einem bestimmten Entschluss zu bringen sucht und in der Tat eine Änderung ihres Willens, jedoch nicht in der von ihr geplanten Richtung,

Richtungsänderung im Zustand des höchsten Affekts

sondern in einer ganz andern erzielt, bedingt diese wirksame Dialogfigur. Es ist als ob auf eine in bestimmter Richtung intensiv wirkende Bewegungskraft plötzlich eine zweite in anderer Richtung zu wirken einsetzte; wie sich nun erstere nicht in ihrer alten Richtung hält, aber auch nicht der Richtung der zweiten folgt, sondern sich in einem bestimmten Winkel zu ihr bricht, so brechen sich hier die seelischen Strömungen in ihrem Zusammenstoss und pflanzen sich in veränderter Richtung fort.

Der Monolog

Der Dualismus im Individuum als Wurzel des Monologs

Wie der Dialog der subjektiven Verschiedenheit seinen Ursprung verdankt, so ist der Monolog im Drama nur statthaft, „wenn im Individuum der Dualismus hervortritt, so dass die zwei Personen, die sonst immer zugleich auf der Bühne sein sollen, in seiner Brust ihr Wesen zu treiben scheinen“ (Tagebuch vom 27. Dez. 43). Daraus lässt sich ein Schluss auf die Technik des Monologs ziehen. Irgend etwas von einem Zwiegespräch muss er an sich haben, so verschieden er sich auch im einzelnen noch gestaltet. Zuweilen ist dies Dialogische des Monologs in einen dramatischen Kern gepresst, der nur aus wenigen Sätzen besteht, um den sich dann der übrige Teil des Selbstgespräches gruppiert.

Aufbau des Monologs

In Judiths grossem Monolog, Anfang des dritten Aktes, bilden drei Sätze diesen dramatischen Kern: „Nur ein Gedanke kam mir, einer mit dem ich spielte und der mir immer wiederkehrt; doch der kam nicht von Dir. Oder kam er von Dir? — Er kam von Dir!“ Das ist die dramatische Wendung, das eigentliche seelische Ereignis in dem Selbstgespräch. Was vorhergeht, ist lediglich eine Bitte um diese Gewissheit, was folgt, der Ausdruck eines jubelnden Dankes darüber. — Zuweilen zeigt der Monolog eine ausgesprochene Zweiteilung in seinem Aufbau, er gliedert sich dann in einen zerstörenden und einen neuschaffenden Teil, einen, wo die alte Meinung des Individuums in sich selbst zerfällt, und einen, wo die neue sich gebiert. Ein solches Selbstgespräch ist das des Herodes zum Schluss des III. Aktes, wo er ein subjektives Resumé des Aufzugs gibt. Der Verdacht des Königs auf sein Weib, der sich mehr und mehr verdichtet hatte, entschwindet auf einmal ganz, so dass er also dadurch sich nicht mehr veranlasst sehen kann, sein Weib unter das Schwert zu stellen, doch dafür erwächst ihm, nachdem er so frei geworden, eine andere Notwendigkeit, die ihnen dazu zwingt.

In einigen Fällen gewinnt der Dualismus im Individuum gradezu Gestalt, so dass eine Seite des menschlichen Wesens die andere bekämpft. Dies äussert sich in Selbstmahnungen, die das Individuum sich zu teil werden lässt; man vergleiche etwa Ausrufe, wie sie Alexandras Monolog (II 2) durchsetzen: „Sprich, wie du denkst. Der Pharisäer lauscht nicht vor der Tür!“ oder „Bedenk es wohl,“ — oder endlich „Pfui, ich sprach ja wie mein Vater.“ In allen diesen Fällen offenbart sich die Zweiheit im Individuum greifbar deutlich.

Stellung des Monologs im Zusammenhang des Aktes

Kurz noch ein Wort über die Stellung des Monologs im Akt und seine Bedeutung für den Bau des Aktes. Oft tritt der Monolog mit der folgenden Szene in das Verhältnis von Plan und Ausführung, oft wird im Selbstgespräch ein Plan gefasst, dann in der folgenden Szene in's Werk gesetzt; hier dient also der Monolog der Vorbereitung der Handlung. Umgekehrt kann er auch das Ergebnis der Handlung ausdrücken und wird in diesem Falle als Resumé der Szene angehängt sein.

Aktbau mit korrespondierenden Monologen

Aus diesen beiden Funktionen des Monologs ergibt sich dann ein Aktbau um korrespondierende Monologe, wie er sich namentlich im zweiten und dritten Akt des „Gyges“ angewandt findet. Die Monologe durchsetzen in diesem Falle den ganzen Akt und bilden feste Punkte in ihm. Sie bezeichnen einerseits resumierend den Fortschritt der Handlung, wie er durch die dazwischen liegenden Szenen dialogischer Natur gegeben ist und bereiten andererseits diese Szenen vor. Der erste Monolog Rhodopens im dritten Akt beispielsweise wirft eine Reihe von Fragen auf, die in der folgenden Szene beantwortet werden und sich im zweiten Monolog als gelöst darstellen. Gleichzeitig aber dient der erste Monolog auch dazu, uns auf die folgende Szene vorzubereiten, uns Rhodopens seltsames Gebahren Kandaules gegenüber klar zu legen und uns ihre Ahnung des an ihr begangenen Verbrechens zu übermitteln.

Schliesslich noch ein Wort über die Sprache des Monologs. „Wenn der Dichter Charaktere dadurch zu zeichnen sucht, dass er sie selbst sprechen lässt, so muss er sich hüten, sie über ihr eigenes Innere sprechen zu lassen. Alle ihre Äusserungen müssen sich auf etwas äusseres beziehen; nur dann spricht sich ihr Inneres farbig und kräftig aus, denn es gestaltet sich nur in den Reflexen der Welt und des Lebens" (Tagebuch vom 3. April 1838). Wie sich diese Forderung versteht, bedarf keiner näheren Erläuterung. Dem Dichter, der in bewusstem Gegensatz zu Tieck seine „Genoveva" schuf, konnte mit der Naivetät eines Selbstgespräches wie das des Bonifazius: „Ich bin der wackere Bonifazius" (Tieck, Leben und Tod der heiligen Genoveva) nicht gedient sein. Nicht in plumper Beschreibung geben (wie uns ein Blick belehrt) die Holofernes, Golo, Herodes ihr Inneres, sondern im üppigen Strom ihrer Ergüsse über Mensch und Leben.